Themen neu

Lehrwerk für Deutsch als Fremdsprache

Kursbuch 3

von
Hartmut Aufderstraße
Werner Bönzli
Walter Lohfert

Max Hueber Verlag

Piktogramme

Hör-Sprech-Text auf Kassette/CD

(CD1, Nr. 3)

Hörtext auf Kassette/CD

4 (CD1, Nr. 4)

Lesen

Schreiben

§ 8 Hinweis auf die Grammatikübersicht im Anhang (S. 126 – 151)

Verlagsredaktion: Werner Bönzli
Layout und Herstellung: Erwin Faltermeier
Illustrationen: Joachim Schuster, Baldham
Umschlagfoto: © Tony Stone Bilderwelten, München

Der Umwelt zuliebe:
gedruckt auf chlor- und säurefreiem Papier

3. 2. | Die letzten Ziffern bezeichnen
1998 97 96 95 | Zahl und Jahr des Druckes.
Alle Drucke dieser Auflage können, da unverändert, nebeneinander benutzt werden.
1. Auflage

Satz: ROYAL MEDIA Publishing, Haidgraben 1b, 85521 Ottobrunn
Druck: Appl, Wemding
Buchbinderische Verarbeitung: Ludwig Auer GmbH, Donauwörth
Printed in Germany
ISBN 3-19-001523-6

Inhalt

Vorwort

Dieser dritte Band des Lehrwerks **Themen neu** führt die Lernenden zum Abschluß der Grundstufe. Der kommunikative Rahmen und die sprachlichen Mittel orientieren sich am Zertifikat Deutsch als Fremdsprache.

Bei der Neubearbeitung dieses dritten Bandes haben wir uns wiederum bemüht, den Wünschen Rechnung zu tragen, die von Seiten der Kursleiterinnen und Kursleiter an uns herangetragen worden sind. Dementsprechend haben wir einige Lektionsthemen durch andere ersetzt; dem Aspekt der Wiederholung wurde generell wesentlich mehr Beachtung geschenkt; die meisten Lektionen und Lektionsteile sind kleinschrittiger geworden. Insgesamt bietet **Themen neu 3** im Vergleich zum bisherigen *Themen 3* eine gezieltere Vorbereitung auf die Anforderungen eines Grundstufenabschlusses wie zum Beispiel der Zertifikatsprüfung.

Wir wünschen Lernenden und Lehrenden einen erfolgreichen und anregenden Unterricht mit **Themen neu 3**.

Autoren und Verlag

Lektion 1

der Bauernhof
die frische Luft
...nichts los
die Kuh
die Ruhe
die Natur
OBST
die Einkaufsmöglichkeiten
BROT
das Freizeitangebot
blond
KINO
der Neubau
der Altbau
der Gestank
die Kreuzung
der Lärm
die Gesundheit
die Baustelle

1. Suchen Sie die Bildteile zu den Wörtern in Übung 1b (auf Seite 9).

a) Numerieren Sie zusammen die einzelnen Gegenstände und Bildteile.

b) Beschreiben Sie die Gegenstände genauer.

der Berg	der Gipfel	wohnen	das Boot
der Fluß	das Tor	fahren	die Stelle
der Park	der Baum	surfen	das Brett
der Garten	die Brücke	wandern	der Weg
das Gemüse	der Strand	paddeln	der Strand
das Obst	das Kraftwerk	rudern	das Rad
der Müll	die Bank		das Haus
das Wasser	die Bahn	baden	
das Vieh	der Zaun	halten	
der Mist	die Deponie	anlegen	
das Auto	der Turm		
die Sonne	das Feld		
der Bauer	der Stall		
die Blume	die Wiese		
	die Bucht		
das Meer	der Schirm		
die Aussicht	die Fabrik		
die Kirche	der Hof		
	der Haufen		

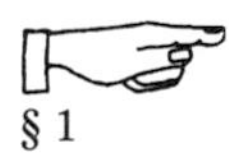

§ 1

Nr. ..., was für ein Boot ist das?
Ein Ruderboot.

Zusammengesetzte Nomen

der Berg + der Gipfel → der Berggipfel
die Sonne + der Schirm → der Sonnenschirm
das Meer + der Strand → der Meeresstrand
die Kirche + der Turm → der Kirchturm

wohnen + das Haus → das Wohnhaus
wandern + der Weg → der Wanderweg
baden + der Strand → der Badestrand

2. Wo tun die Leute das?

spazierengehen	Schiff fahren	angeln	im Park
baden	paddeln	in die Stadt fahren	auf dem Berg
schwimmen	anlegen	wohnen	durch den Wald
radfahren	Bus fahren	auf den Turm steigen	am Badestrand
sich sonnen	rudern	arbeiten	am Fluß entlang
Auto fahren	surfen	die Aussicht genießen	an der Brücke vorbei
wandern	Obst pflücken	bauen	um den Bauernhof herum
			quer durch die Stadt ...

3. Wo würden Sie am liebsten wohnen? Warum?

innerhalb der Stadt
außerhalb der Stadt
im obersten Stockwerk

Neubau Hochhaus
Altbau Vorort

... ist	direkt	gegenüber	... liegt	gegenüber	dem Park
	gleich	nebenan		nahe bei	...
		um die Ecke			
	nahe		kurze Entfernungen zu ...		
			ruhige Gegend		
			herrliche Aussicht		

§ 12

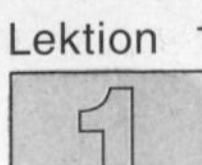

Luftschlösser und Traumhäuser

ein großer Wohnwagen,
mit dem ich um die Welt fahren könnte,
der viel Komfort hätte,
der mein Eigentum wäre …

ein großes Schloß,
das auf einem Berg läge,
wo ich oft Besuch bekäme,
mit herrlicher Aussicht ins Tal,
wo es Wälder und Wiesen gäbe …

ein Penthaus mitten in der Stadt
mit einem Dachgarten,
von dem ich einen herrlichen Blick auf die Stadt hätte,
das einen eigenen Lift hätte,
wo ich tolle Partys gäbe,
von dem aus man nur fünf Minuten bis zum Stadtzentrum gehen müßte …

ein schöner, alter Bauernhof mit großem Obstgarten,
wo es große, hohe Zimmer gäbe,
wo ich alte Bauernmöbel hätte,
wo ein offener Kamin oder ein gemütlicher Ofen wäre,
wo ich Tiere halten könnte …

ein kleines Häuschen im Grünen
mit Blumengarten,
wo es viel Platz für Kinder gäbe,
wo ich nur Felder und Wälder um mich herum sähe …

eine einsame Insel in der Karibik,
wo niemand hinkäme,
wo es nirgends Industrie gäbe,
wo ich Boot fahren könnte …

§ 20

4. Beschreiben Sie Ihr Traumhaus oder Ihre Traumwohnung.

Konjunktiv II

er hat – er hatte – er hätte
er ist – er war – er wäre
er kommt – er kam – er käme
es gibt – es gab – es gäbe
er sieht – er sah – er sähe

Ich wünschte mir …	Dann könnte ich …
Ich würde gern …	Dann wäre ich …
Ich hätte gern …	Dann hätte ich …
	Dann würde ich …
	Dann gäbe es ...

5. Zeichnen Sie Ihr Traumhaus / Ihre Traumwohnung und erklären Sie.

Hier	wäre …
Daneben	gäbe es …
Davor	könnte man …
Darüber	würde ich …
Gegenüber	hätte …

Ich wünschte mir ein kleines Haus im Wald, wo viele Kinder hinkämen …

In der Stadt oder auf dem Land wohnen

6. Hören Sie vier Meinungen.

1-4

a) Welches Bild paßt zu welchem Interview? **A** zu __, **B** zu __, **C** zu __, **D** zu __

A 

B 

C 

D 

b) Hören Sie noch einmal genauer zu. Machen Sie Notizen zu jedem Interview.

	1. Interview	2. Interview	3. Interview	4. Interview
Wohnlage	im Zentrum direkt ...	Ja Schöner Wohnung alt aber auch Bau renoviert	Land.	Vorort Kleines Dal 1 Jahre München
Nachteile was contra negativ	zu teuer 700DM direkt zu Straße Bahn 120 DM mit ... immer krank	Alles an Ecken Ein Bäcker 5 minuten zu Zentrum	Statt	altmodische Möbel 2 Stunden mit Bahn nichts los. immer Expedition 1 stunden/tag telefonieren
Vorteile was gut ist	ohne Lebenskost	Stattmensch muß nicht zu ...	Groß Wohnung Garten-Gemüse Arbeite Donnerstag-Kneipen	Schön Wohnung - bequem Möbel
Wünsche	Ruhigen, Schöner Luft besser auf dem Land	Mag jetzt	telefone ein Stammtisch fernsehen fax den Zeichner.	Zimmer in Studentenwohnheim

7. Machen Sie Interviews im Kurs.

a) Interviewen Sie Ihre Nachbarin oder Ihren Nachbarn und machen Sie Notizen.

b) Berichten Sie:

... wohnt in ...
Sie ist mit ihrem Zimmer nicht zufrieden, weil ...
Aber ...

Bist du mit ... zufrieden?			Erst mal ...	
Fühlst du dich ... wohl?			Und dann ...	
Lebst du gern ...?			Und außerdem ...	
Hast du ...?			Übrigens ...	
Und ... brauchst du nicht?			Ganz einfach! ...	
Willst du ausziehen?			Was soll ich mit ...?	
Aber dann	müßtest hättest kämest	du doch ...	Ja, wenn ...	hätte! gäbe! ...
			Aber dann ...	

5

2 Gekündigt

○ Mensch, Carlo, was machst du denn für ein Gesicht?

□ Ach, mein Vermieter hat mir gekündigt. Jetzt muß ich schon wieder ein neues Zimmer suchen.

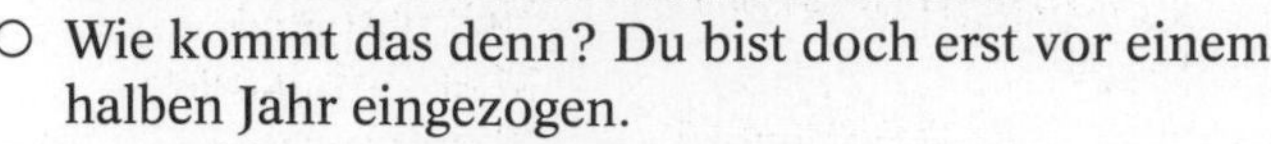

○ Wie kommt das denn? Du bist doch erst vor einem halben Jahr eingezogen.

□ Ja, und jetzt soll ich schon wieder umziehen. Der Vermieter braucht das Zimmer selbst, behauptet er.

○ Sag mal, du hast doch einen Mietvertrag abgeschlossen, nicht? Was steht denn da drin?

□ Na ja, ich wohne ja nur als Untermieter; wenn der Vermieter das Zimmer selbst braucht, kann er mir kündigen.

○ Ach was! Das muß er erst mal beweisen! Es gibt schließlich ein Mieterschutzgesetz!

□ Was nützt mir das?

○ Du solltest erst einmal zum Mieterverband gehen. Dort kannst du dich nach deinen Rechten erkundigen.

□ Meinst du? Vielleicht sollte ich das wirklich versuchen…

8. Hören und lesen Sie den Modelldialog und spielen Sie ihn.

6-7

9. Hören Sie zwei weitere Dialoge auf Kassette. Spielen Sie dann ein ähnliches Gespräch.

Was | ist denn mit dir los? / hast du denn?

Meine Wohnung / Mein … | ist mir gekündigt worden.

Du bist doch | gerade erst / erst vor… | eingezogen. / erst seit… da drin.

Der | Besitzer / Vermieter | will | den Raum / das Haus / … | selbst benutzen. / renovieren.

Was | steht denn in / ist denn mit | deinem Mietvertrag?

Ich habe ja | nur ein möbliertes Zimmer. / … / gar keinen Mietvertrag.

Das | kann | innerhalb eines Monats / fristlos /ohne weiteres | gekündigt werden.

Das heißt noch gar nichts.
Da bin ich nicht so sicher.
Es gibt doch gesetzliche Vorschriften.

Das | nützt / bringt | doch nichts. Der macht ja doch, was er will.

Kennst du überhaupt deine Rechte?
Erkundige dich mal | beim Mieterverband. / bei deinen Nachbarn. / …

Vielleicht hast du recht.

Ach weißt du, ich möchte keinen Ärger haben.
Ach nein, ich will keine Schwierigkeiten haben.
Ich | suche lieber wieder etwas Neues. / gehe lieber zur Zimmervermittlung. / zu…

Wohnung gesucht

10. Hören Sie das Gespräch mit dem Makler und machen Sie sich Notizen.

2 ZKB. Innenstadt, 570,– kalt, sofort frei.
AMG-Immobilien. Tel. 338058

- Größe der Zimmer
- Lage / Verkehrslage
- Zustand der Wohnung
- Nebenkosten
- Mietbedingungen
- Einzugstermin

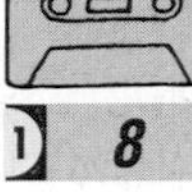

11. So sieht die Wohnung wirklich aus.

a) Beschreiben Sie die Mängel der Wohnung. Welche Angaben des Maklers sind falsch?

Balkontür	Aussicht
Zimmertür	Balkon
Zimmerdecke	Wand
Teppich	Kreuzung
Lampe	S-Bahn
Birne	Tapete
Heizung / Kohleofen	Gardine
Lichtschalter	

nicht dicht	existiert nicht		
beschädigt	liegt direkt an / gegenüber		
kaputt	fährt direkt	vor	... vorbei
schief		an	
feucht	hat Flecken		
häßlich	hat ein Loch		
scheußlich	muß	repariert	werden
laut		erneuert	
es zieht		gestrichen	
es tropft		tapeziert	

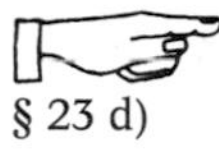

§ 23 d)

b) Schreiben Sie dem Makler einen Brief. Teilen Sie ihm mit, unter welchen Bedingungen Sie die Wohnung mieten würden.

Sehr geehrter Herr ...,

ich habe mir die Wohnung, die Sie mir angeboten haben, inzwischen angesehen. Allerdings haben Sie mir einige falsche Angaben gemacht, und die Räume sind in einem schlechten Zustand. Ich würde die Wohnung trotzdem nehmen, wenn vorher ...

Mit freundlichen Grüßen

3

Die Nesthocker

Manche wohnen schon zwanzig Jahre in ihren vier Wänden

Eine schön eingerichtete Wohnung in guter Lage ohne Umweltbelastung halten die meisten Bundesbürger (91 Prozent) für besonders wichtig. „Etwas mehr Geld" geben die Westdeutschen dennoch lieber für Reisen (53 Prozent), Essen und Trinken (50 Prozent) und Kleidung (44 Prozent) aus. Nur ein Drittel investiert „gerne mehr" für Möbel und Interieur. Zu diesem Ergebnis kommt die Studie „Wohnen + Leben" des Hamburger GFM-GETAS-Instituts.

Nach ihren Wohnwünschen und ihrer Wohnsituation wurden mehr als 6000 Westdeutsche im Alter zwischen 18 und 64 Jahren im vergangenen Herbst befragt. Aufgrund des „ständigen Wandels" in den neuen Bundesländern wurden die Ostdeutschen noch nicht berücksichtigt.

Die meisten Befragten (84 Prozent) können an der Wohnungseinrichtung den guten Geschmack und Stil erkennen. Vier Fünftel verwirklichen dabei ihren persönlichen Stil – und der ist breit gefächert: Die größte Gruppe (15 Prozent) richtet sich „altdeutsch" ein – mit massiven Schränken und dicken Polstermöbeln. „Gradlinig jung" mit bequemen Sitzgarnituren und schlichten Regalen, „modern bürgerlich" mit dem praktischen Wohndesign der 70er Jahre, und „repräsentativ modern" mit Einbauschränken und Glastischen: In diesen Stilrichtungen werden von jeweils über zehn Prozent der Westdeutschen die Wohnungen möbliert. Avantgarde-Designermöbel sind nur bei einer Minderheit beliebt. Wichtig für die meisten Befragten: Die Möbel müssen praktisch sein. Rustikales Holz, Leder, Glas und Marmor werden bevorzugt.

Tendenziell sind zwei Drittel der Deutschen laut Studie „Nesthocker". Fünf von zehn Befragten kaufen sich nur einmal eine Wohnungseinrichtung „fürs Leben" und wohnen schon länger als zehn Jahre in ihrer Wohnung. Jeder Fünfte sitzt bereits seit über zwanzig Jahren in denselben vier Wänden. Ein Drittel der Befragten fühlt sich zu Hause wohl.

12. Was paßt zusammen?

Drei von zwanzig Deutschen
Genau die Hälfte der Deutschen
Gut die Hälfte der Deutschen
Jeder dritte Deutsche
Knapp die Hälfte der Deutschen
Nur ganz wenige Deutsche
Vier von fünf Deutschen
Zwei von zehn Deutschen

fühlt sich zu Hause wohl.
gibt gern Geld für Reisen aus.
ist bereit, für gutes Essen etwas mehr zu bezahlen.
kaufen Möbel im „altdeutschen" Stil.
kaufen sich Designermöbel.
kauft auch etwas teurere Möbel.
kauft sich nur einmal eine Wohnungseinrichtung.
legt Wert auf gute Kleidung.
möchten beim Möbelkauf ihren persönlichen Stil verwirklichen.
wohnen schon zwanzig Jahre oder länger in der gleichen Wohnung.

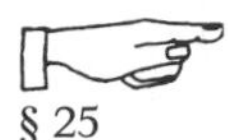

§ 25

Aus dem „Großen Duden“

…e], die: - … Schicksal … hai = als Anteil erhalten] (griech. Philos.): *das unausweichliche Verhängnis, Schicksal.*

Heimat ['hạjma:t], die; -, -en ⟨Pl. ungebr.⟩ [mhd. heim(u)ot(e), ahd. heimuoti, heimōti, zu ↑Heim mit dem Suffix -ōti]: **a)** *Land, Landesteil od. Ort, in dem man [geboren u.] aufgewachsen ist od. sich durch ständigen Aufenthalt zu Hause fühlt (oft als gefühlsbetonter Ausdruck enger Verbundenheit gegenüber einer bestimmten Gegend):* München ist seine H.; Wien ist meine zweite H. *(ich fühle mich jetzt in Wien zu Hause, obwohl ich nicht dort geboren bin);* seine alte H. wiedersehen; die H. aufgeben müssen, verlieren, verlassen; die H. lieben, verteidigen; er hat keine H. mehr; er hat in Deutschland eine neue H. gefunden; ein Schlepper mit einem warmen Licht, tröstlich, als berge er tausend -en (Remarque, Triomphe 357); sie ... haben mit ihren Kindern ein Recht auf H. angemeldet; sie folgte ihm in seine Heimat *(zog mit ihm nach der Heirat in seine Heimat);* jmdm. zur H. werden; Ü Eines Tages lernte sie den christgermanischen Kreis ... kennen ... und fühlte sich mit einemmal in ihrer wahren H. (Musil, Mann 312); **b)** *Ursprungs-, Herkunftsland eines Tiers, einer Pflanze, eines Erzeugnisses, einer Technik o. ä.:* die H. dieser Fichte ist Amerika; Deutschland gilt als die H. des Buchdrucks.

hẹimat-, Hẹimat-: **~abend,** der: *Abendveranstaltung mit musikalischen, tänzerischen o. ä. Darbietungen der betreffenden Gegend;* **~berechtigt** ⟨Adj.; o. Steig.; nicht adv.⟩: **a)** svw. ↑wohnberechtigt; **b)** (schweiz.) *an einem bestimmten Ort Bürgerrecht besitzend;* **~berechtigung,** die: svw. ↑Wohnberechtigung; **~blatt,** das: svw. ↑~zeitung; **~dichter,** der: *Dichter, Schriftsteller, dessen Werk in der betreffenden heimatlichen Landschaft mit ihrem Volkstum wurzelt;* **~dichtung,** die; **~erde,** die: *heimatliche Erde als Ausdruck der Verbundenheit mit der Heimat;* **~fest,** das: *[aus Anlaß eines Jubiläums veranstaltetes] Fest, bei dem die betreffende engere Heimat mit ihrer Geschichte u. ihrem Brauchtum im Mittelpunkt steht;* **~film,** der: *im ländlichen Milieu spielender Film, in dem die Verwurzelung der handelnden Personen in ihrer engeren Heimat gezeigt wird;* **~forscher,** der: *jmd., der sich mit der Erforschung von Natur u. Geschichte der heimatlichen Landschaft beschäftigt;* **~forschung,** die; **~freund,** der: *jmd., der sein Interesse an Natur u. Geschichte seiner Heimat [durch eine Mitgliedschaft in einer entsprechenden Vereinigung] bekundet:* dem Verein der -e angehören; **~front,** die (bes. ns.): *Betrieb, Bereich o. ä., in dem mit allen Mitteln daran gearbeitet wird, den Krieg gewinnen zu helfen;* **~gefühl,** das: *Gefühl einer engen Beziehung zur Heimat;* **~genössig** [-gənœsıç] ⟨Adj.; o. Steig.; nicht adv.⟩ (schweiz.): svw. ~berechtigt (b): er ist in Frauenfeld h.; **~geschichte,** die: *Teil der Geschichtswissenschaft, der sich mit der Geschichte eines [kleineren] Landesteils befaßt;* **~hafen,** der: *Hafen, in dem ein Schiff in das Schiffsregister eingetragen ist:* Dieses U-Boot war vor kurzem in den H. zurückgekehrt (Menzel, Herren 96); **~kalender,** der: *Kalender mit Abbildungen u. kleinen Geschichten, der für einen eng umgrenzten Landschaftsraum bestimmt ist;* **~kunde,** die ⟨o. Pl.⟩: *Geschichte, Geographie u. Biologie einer engeren Heimat (als Unterrichtsfach);* **~kundler,** der: svw. ↑~forscher; **~kundlich** ⟨Adj.; o. Steig.; nicht präd.⟩: *die Heimatkunde betreffend, zu ihr gehörig:* -er Unterricht; ein -es Thema; **~kunst,** die ⟨o. Pl.⟩: *sich in Kunsthandwerk u. Heimatdichtung ausprägende, auf dem Boden von Landschaft u. Tradition gewachsene Kunst;* **~land,** das ⟨Pl. -länder⟩ [2: nach engl. homeland]: **1.** *Land, aus dem jmd. stammt und in dem er seine Heimat hat.* **2.** svw. ↑Homeland; **~liebe,** die ⟨o. Pl.⟩: *Liebe zur Heimat;* **~lied,** das: *die Heimat besingendes Lied;* **~los** ⟨Adj.; Steig. ungebr.; nicht adv.⟩: *keine Heimat mehr besitzend:* -e Emigranten; Ü als Schicksal des geistig -en Menschen (Nigg, Wiederkehr 19); ⟨subst.:⟩ **~lose,** der u. die; -n, -n ⟨Dekl. ↑Abgeordnete⟩, dazu: **~losigkeit,** die; -: *das Heimatlossein;* **~museum,** das: *Museum mit naturkundlichen u. kulturgeschichtlichen Sammlungen der engeren Heimat;* **~ort,** der: **a)** *Ort, in dem jmd. [geboren u.] aufgewachsen ist, seine Heimat hat;* **b)** svw. ↑~hafen; **~pflege,** die: *Erhaltung des Charakters der Heimat durch Umweltschutz, Pflege der Kulturdenkmäler, Bräuche o. ä.;* **~presse,** die: vgl. ~zeitung; **~prinzip,** das ⟨o. Pl.⟩ (schweiz.): *Grundsatz des Strafrechts, nach dem eigene Staatsangehörige, die im Ausland straffällig geworden sind, nicht ausgeliefert, sondern im eigenen Land abgeurteilt werden;* **~recht,** das ⟨Pl. selten⟩: *Recht, in einem Ort, Land weiterhin leben zu dürfen:* Wir haben beschlossen, ihr Gast- und Heimatrecht zu gewähren (Hagelstange, Spielball 54/55); eine Art H. erwerben ; Ü wird daher auch künftighin die deduktive ... Methode ... gerade in der Forstwissenschaft besonderes H. beanspruchen können (Mantel, Wald 90); **~schein,** der (schweiz., österr. [früher]): *Bescheinigung des Heimatrechtes;* **~schriftsteller,** der: vgl. ~dichter; **~schuß,** der (Soldatenspr.): *Schußverletzung, auf Grund deren man in die Heimat versetzt werden kann:* General Jänicke hatte zwar nicht den berühmten H. erhalten (Plievier, Stalingrad 262); **~schutztruppe,** die ⟨o. Pl.⟩: *Truppe des Territorialheeres der Bundeswehr mit der Aufgabe, die Operationsfreiheit der eigentlichen Kampftruppen u. -verbände durch die Sicherung wichtiger Gebiete u. Anlagen zu gewährleisten;* **~sprache,** die: *in einem Landesteil, in jmds. engerer Heimat gesprochene Sprache;* **~staat,** der: *Staat, aus dem man stammt, dessen Staatsangehörigkeit man besitzt;* **~stadt,** die: vgl. ~ort (a); **~tag,** der: svw. ↑~fest: Das Städtchen feierte wie jedes Jahr seinen H. (Chr. Wolf, Himmel 99); **~treffen,** das: *Treffen der Heimatvertriebenen zum Gedenken an die verlorene Heimat;* **~verbunden** ⟨Adj.; nicht adv.⟩: *seiner Heimat verbunden;* **~verteidigung** die ⟨o. Pl.⟩: *Verteidigung des Heimatstaates;* **~vertrieben** ⟨Adj.; o. Steig.; nicht adv.⟩: *nach 1945 aus den deutschen Ostgebieten vertrieben:* Den christlichen Kräften des -en Landvolks komme jetzt besondere Bedeutung zu (Glaube, 51/52, 1960, 23), dazu: **~vertriebene,** der u. die; -n, -n: Der Gesamtdeutsche Block BHE (Block der -n und Entrechteten) ist eine Interessenpartei der aus dem Osten stammenden Vertriebenen (Fraenkel, Staat 249); **~verwurzelt** ⟨Adj.; o. Steig.; nicht adv.⟩: *in seiner Heimat verwurzelt;* **~zeitung,** die: *Zeitung bes. mit Lokalberichten u. -nachrichten, die nur für ein engeres Gebiet bestimmt ist:* der Konkurrenzkampf mit den großen Tageszeitungen macht den kleineren -en das Leben schwer; für die H. schreiben.

…lich ⟨Adj.; o. Steig.; nicht adv.⟩: **a)** *in der Heimat* … Berge; die -e Sprache; …

Aus der Brockhaus Enzyklopädie

Heimat [ahd. heimoti, zu Heim], allgemein die Umwelt, mit der der einzelne durch Geburt oder Lebensumstände verwachsen ist. Bes. im Deutschen begreift das Wort eine Gemütsbindung ein, das *Daheim-Geborgensein.* Naturnahe Verhältnisse, verkehrsferne, abgeschlossene Lage fördern das *Heimatgefühl;* es ist jedoch weder auf die Naturlandschaft noch etwa auf die schöne Landschaft beschränkt. Die Klein- und Mittelstadt mit lokalem Geschichtsbewußtsein bietet seit alters ein günstiges Klima für *Heimatliebe* und *Heimattreue.* Aber auch moderne Industriestädte können zur H. werden. Ebensowenig sind Familie und Herkunft für das *Heimatbewußtsein* wesensnotwendig; *Wahlheimat* hat es immer gegeben; Kinder von Heimatvertriebenen können schnell *heimisch* werden, wenn die Umstände günstig sind. Anderseits kann das *Heimweh* nach der verlorenen H. sich bis zu körperl. Krankheitserscheinungen steigern.

heimisch, ahd. … einheimisch; zahm; nicht wildwachsend … adv.⟩ *das eigene Land betreffend, dazu gehörend; in einer bestimmten Heimat vorhanden, von dort stammend, einheimisch:* die -e Bevölkerung, Regierung, Wirtschaft, Industrie; -e Pflanzen; diese Tiere sind in Asien h.; Andere gingen ins Ausland, um dort das neue Verfahren h. zu machen (Bild. Kunst 3, 58); **b)** ⟨nur attr.⟩ *zum eigenen Heim, zur vertrauten häuslichen, heimatlichen Umgebung*

1179

13. Erklären Sie fünf Stichwörter aus dem Duden, die Ihnen wichtig erscheinen, mit Ihren eigenen Worten. Versuchen Sie, Beispiele dafür zu finden.

14. Beschreiben Sie die beiden Bilder und vergleichen Sie sie.

fröhlich einsam
interessiert kalt
unpersönlich
neugierig traurig
modern glücklich
zufrieden lebendig
freundlich arm
gemütlich
abweisend
altmodisch ...

Das Bild Das Haus Die Menschen Die Atmosphäre ...	links rechts ...	ist /sind zeigt / zeigen wirkt / wirken ...	...

15. Lesen Sie die Reportage auf Seite 17 und versuchen Sie, die drei Felder zu füllen.

hat mit „Heimat“ zu tun	hat wenig oder nichts mit „Heimat“ zu tun
wo ich mich wohlfühle Gefühl	Territorium Deutschland

macht es schwer, Heimatgefühl zu empfinden
Neubauviertel Cola

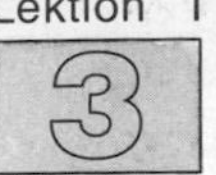

Heimat

Da, wo ich mich wohlfühle

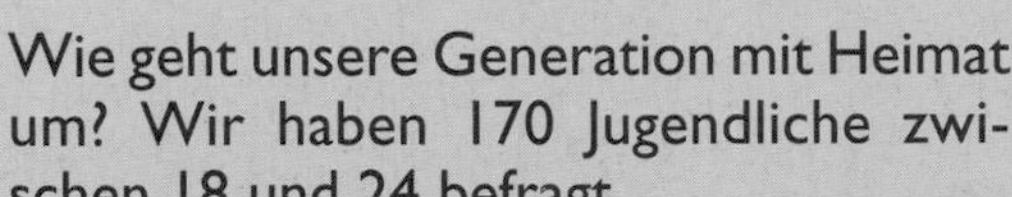

Wie geht unsere Generation mit Heimat um? Wir haben 170 Jugendliche zwischen 18 und 24 befragt.

„Da, wo ich mich wohlfühle, geborgen und verstanden, da, wo ich aufgewachsen bin." So allgemein umschreiben es die meisten Jugendlichen. „Heimat ist kein Territorium, eher ein Gefühl", sagen vage die einen; unsicher: „Vielleicht das Haus oder die Stadt, in der ich lebe, weil hier meine Freunde sind", die anderen. Kaum einer, der „Deutschland" nennt. Was macht es uns so schwer, Heimat so zu bestimmen, wie es unsere Eltern und Großeltern noch konnten? Warum fällt uns bei Heimat weder der Michel ein noch die Zugspitze, weder das Brandenburger Tor noch der Rhein?

Wir sind in Neubauvierteln großgeworden, mit Cola und Corn-flakes, mit Michael Jackson und „Sesamstraße". Wir wollten nicht mehr Polizist werden oder Prinzessin, sondern Filmstar oder Ölmilliardär. Wir sind mit sieben schon auf Mallorca gewesen und haben die Familie im Stockwerk über uns nicht gekannt. Wir konnten mit zwölf schon Englisch und verstanden Omas Dialekt nicht mehr. Wir haben lieber Gameboy gespielt als Räuber und Gendarm. Wir lernten von vielen Kulturen und kennen die eigene am wenigsten. Wir arbeiten mehr mit Computern und Maschinen als mit Menschen.

Heimat hat viel zu tun mit Geborgenheit, mit dem Gefühl, zusammenzugehören. Das finden nahezu alle Jugendlichen, mit denen wir gesprochen haben.

Aber: Die Anonymität der Städte, die Hektik, der wachsende Egoismus lassen für Gemeinschaft nicht viel Platz. Die Kirchen sind nur Heiligabend voll, Stadtteilvereine und Straßenfeste können die dörfliche Wärme kaum ersetzen. Ohne die Verbundenheit mit Ort und Menschen kann aber auch kein Heimatgefühl entstehen.

Deshalb greifen wir auf den begrenzten Raum der Wohnung, des Zimmers zurück, auf den engsten Kreis von Freunden und Verwandten. Was für unsere Eltern noch unvorstellbar war, ist für uns Realität: Heimat ist verschiebbar. Weil wir Kindheitserlebnisse nicht mehr an Orte, sondern vielmehr an Menschen knüpfen, können wir Heimat quasi in den Umzugskarton packen und am neuen Wohnort herausholen, sei es nun Kiel oder Tokio.

Selbst Sprache ist, seitdem Dialekte nur noch selten zu hören sind und Englisch allgegenwärtig ist, als Bindeglied zur Nebensache geworden. Ist das aber noch Heimat? So unsicher, wie Deutschlands Jugend bestimmt, was Heimat ist, so sicher kann sie sagen, was nicht: das Vaterland nämlich. Vaterland (oder Geburtsland, was für uns besser klingt, weil „Vaterland" den faschistischen Beigeschmack noch lange nicht verloren hat), das ist Deutschland. Nur, weil man hier geboren ist. „Heimat muß nicht unbedingt im Geburtsland liegen". – „Vaterland ist negativ besetzt, Heimat positiv." – „Vaterland ist ein konkreter Ort, Heimat eher ein Gefühl."

Sicherlich, uns geht es viel besser als den Generationen vor uns. Wir können reisen, wohin wir wollen, wohnen, wo es uns paßt (gesetzt den Fall, daß es noch Wohnungen gibt). Wir brauchen nur auf einen Knopf zu drücken, schon können wir wählen zwischen Spielfilm, Talk-Show, Quiz und Nachrichten – uns die Welt ins Wohnzimmer holen. Wir können aussehen, wie wir möchten, tragen, was uns gefällt. Wir leben leichter, bequemer und länger als unsere Großeltern. Wir können vieles haben, was man kaufen kann.

Nur Heimat nicht.

… Die Heimat
Ist also wohl das Teuerste, was Menschen
Besitzen. …

Schiller, Jokasta und Polynice

Im schönsten Wiesengrunde
Ist meiner Heimat Haus.

Volkslied von W. Ganzhorn

Denn nichts ist doch süßer als unsre Heimat und Eltern,
Wenn man auch in der Fern' ein Haus voll köstlicher Güter,
Unter fremden Leuten, getrennt von den Seinen, bewohnet.

Homer, Odyssee

Der ist in tiefster Seele treu,
Wer die Heimat liebt wie du.

Theodor Fontane, Archibald Douglas

In der Fremde erfährt man, was die Heimat wert ist,
und liebt sie dann um so mehr.

Wichert, Heinrich von Plauen

Nirgends ist der Himmel so hoch und die Erde so groß,
Nirgends sind die Wälder so ohne Ende …

Siegfried von Vegesack, Nordische Heimat

Die wahre Heimat ist eigentlich die Sprache.

Wilhelm von Humboldt

In die Heimat möcht' ich ziehen,
In das Land voll Sonnenschein.

E. Geibel, Der Zigeunerbub im Norden

Hier ist keine Heimat – jeder treibt
Sich an dem andern rasch und fremd vorüber
Und fraget nicht nach seinem Schmerz.

Schiller, Wilhelm Tell

Lektion 2

die Autofähre
das Schiff
Schusters Kleintransporte aller Art
der Lastwagen
der Schlagbaum
der Zollbeamte
der Grenzübergang
das Fahrrad
die Grenze
ZOLL

1

1. Was machen die Leute?

§ 33

Der	kleine	Mann	mit der blauen Badehose	springt ins …
Die	alte	Frau	mit dem Stock	fliegen zum …
Das	dicke	Kind	auf der Brücke	
Die	…	Leute	im Raumschiff	

ein Schild aufstellen — falsch abbiegen — die Vorfahrt nicht beachten — vor dem Bahnübergang warten — einen LKW überholen — einziehen — spazierengehen — sich verabschieden — zusammenstoßen — starten — ins Wasser stoßen — vor der Ampel halten — sich nach dem Weg erkundigen — den Verkehr regeln — vor einer Katze bremsen — den Mann verlassen — ein Auto abschleppen — die Straße / den Fluß überqueren — aus dem Gefängnis fliehen — mit der Eisenbahn ankommen — über die Mauer klettern — im Stau stehen — in die Einbahnstraße fahren — wandern — gerade noch den Zug erreichen — zum Mond fliegen — ins Wasser springen — über die Grenze fahren — das Haus abschließen — reiten — einen Einbrecher verhaften — entgegenkommen — landen — die neue Autobahn eröffnen — ein Auto schieben — hupen — an die Tür klopfen

2. Erzählen Sie: Haben Sie schon einmal eine von diesen Situationen oder eine ähnliche erlebt?

Einmal	bin ich habe ich war ich	…	Da / erst / dann / danach / plötzlich / schließlich

§ 13, 28

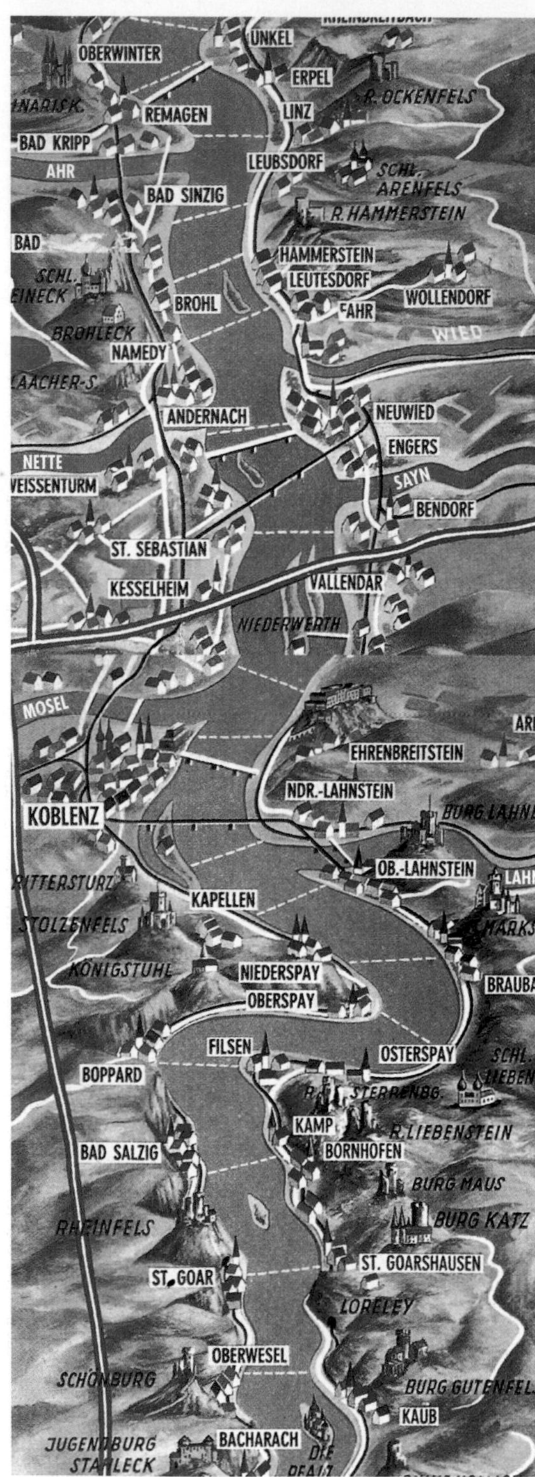

Steile Berge, alte Burgen

Mit dem Rad am Rhein entlang

Mein Freund Stephan und ich sind in den Osterferien mit dem Rad den Rhein hinauf bis Straßburg gefahren, also von Norden nach Süden. Mein Vater hat uns mit dem Auto auf der Autobahn von Köln bis ins Siebengebirge gefahren. Das liegt östlich von Bonn. So konnten wir gleich am Anfang der Fahrt etwa 12 km bergab ins Rheintal nach Linz hinunterfahren. Das war super. In den vielen Kurven mußten wir stark bremsen. Darum bin ich immer rund 100 Meter hinter Stephan geblieben. So sind wir auch durch das alte Stadttor nach Linz hineingefahren.

Südlich von Linz wird das Rheintal immer enger. Hoch oben über den Weinbergen sind Burgen, Schlösser und Burgruinen. Am besten kann man die auf der anderen Seite des Rheins sehen. Die Straße führt oft direkt am Rhein entlang. Hier fahren nur wenige Autos. Von Leutesdorf aus sind wir mit der Autofähre nach Andernach hinübergefahren. Das ist nicht teuer und macht viel Spaß. Andernach hat eine alte Stadtmauer aus dem Mittelalter. Südlich von Andernach wird das Rheintal wieder breiter. Dort gibt es viel Industrie und ein Atomkraftwerk. Nach einer Stunde fuhren wir auf einer Brücke über die Mosel nach Koblenz hinein. Dort fließt die Mosel in den Rhein. Wer aus Frankreich, Belgien oder Luxemburg kommt, sollte unbedingt über Trier und Cochem die Mosel abwärts zum Rhein fahren!

Als wir nun wieder über den Rhein fuhren und zur Jugendherberge in der Festung Ehrenbreitstein wollten, mußten wir unsere Fahrräder einen steilen Berg (13%) hinaufschieben. Als wir durch das erste Tor kamen, sahen wir nur Schießscharten. Danach ging es durch weitere Tore, bis wir auf einem großen Platz standen – mit Blick hinunter auf den Rhein. Hier standen noch im Ersten Weltkrieg (1914–1918) die großen Kanonen. In der Jugendherberge war es sehr kalt, viel kälter als draußen. Wir haben die ganze Nacht gefroren.

Nach einem guten Frühstück fuhren wir den steilen Berg hinunter. Bei Lahnstein fuhren wir über die Lahn weiter nach Süden bis Braubach. Dort stellten wir unsere Räder in einen Hinterhof und stiegen hinauf zur Marksburg. Es ist die älteste Burg am Rhein. Die ältesten Teile sind aus dem 13. Jahrhundert. Wir konnten noch viele Kanonen, Rüstungen und Folterinstrumente aus dem 16. Jahrhundert sehen.

Von Boppard fuhren wir mit einem Rheinschiff nach St. Goar. Von der Flußmitte konnten wir rechts die Burg Rheinfels und links die Burgen Liebenstein und Sterrenberg sehen. Man nennt sie die feindlichen Brüder, weil ihre Besitzer immer wieder Krieg gegeneinander geführt haben. Sie stehen sehr dicht beieinander. Dazwischen steht aber eine dicke, hohe Mauer. Weiter südlich kann man Burg Katz und Burg Maus sehen. Diesen Namen nach waren die Burgherren sicher auch nicht gerade die besten Freunde. Von St. Goar fuhren wir über Oberwesel nach Bacharach. Dort mußten wir wieder unsere Räder zur Burg Stahleck hochschieben, denn in der Burg ist eine sehr schöne Jugendherberge. Der Blick hinunter auf den Rhein bei Nacht ist wunderschön …

Norbert G. (14)

3. In welcher Reihenfolge haben Norbert und Stephan die Orte a) bis f) gesehen? Wie heißen die Orte?

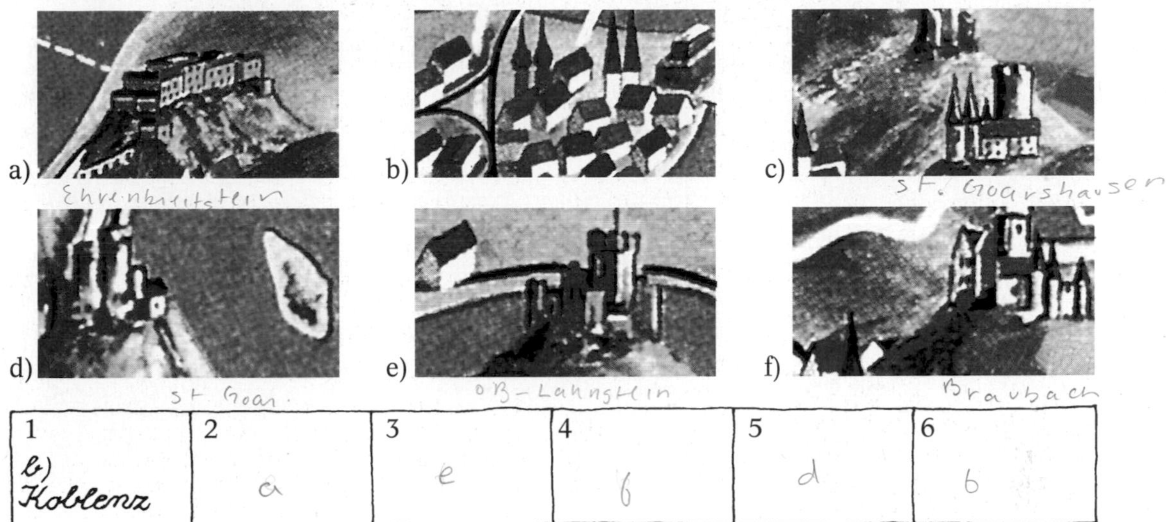

1	2	3	4	5	6
b) Koblenz	a	e	f	d	c

4. Was erfahren Sie aus dem Text über diese Orte? Berichten Sie.

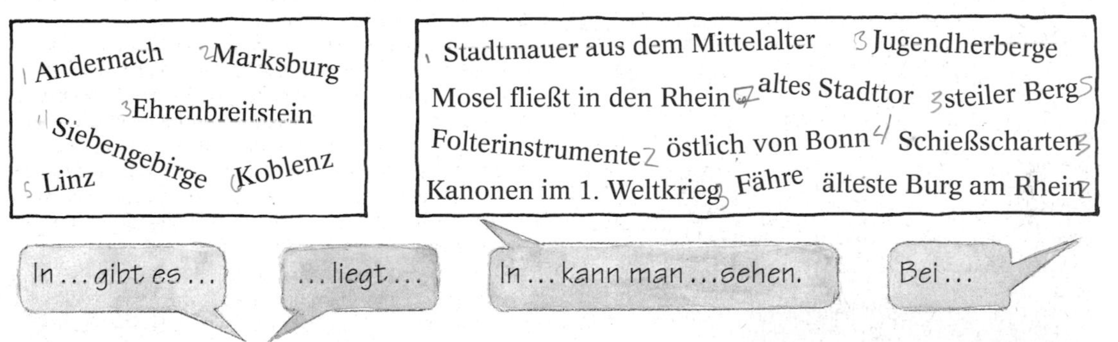

5. Hören Sie Stephans Erzählung von der Kassette.

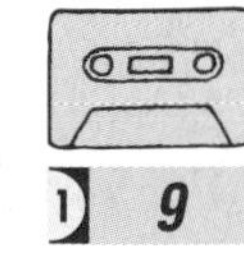

Machen Sie sich Notizen und vergleichen Sie mit der Landkarte:

- In welchen Punkten widerspricht Stephans Erzählung dem Bericht von Norbert?
- Welche Punkte läßt er aus?

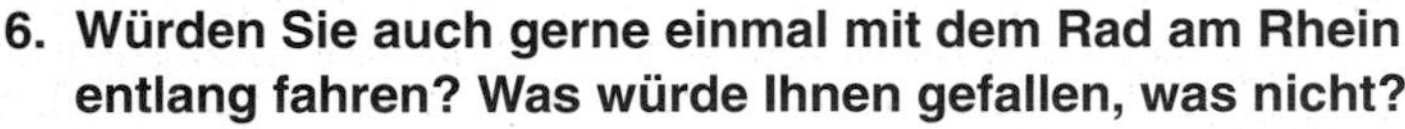

6. Würden Sie auch gerne einmal mit dem Rad am Rhein entlang fahren? Was würde Ihnen gefallen, was nicht?

7. Haben Sie schon einmal eine längere Tour gemacht? Erzählen Sie.

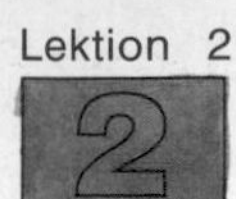

8. Verkehrshinweise

Herr und Frau Gebhardt aus Flensburg sind mit dem Auto unterwegs nach Süden. Sie wollen ihren Urlaub an der italienischen Riviera, in San Remo, verbringen. In Karlsruhe haben sie bei Verwandten übernachtet. Zur Zeit sind sie auf der Autobahn A 5 Karlsruhe – Basel kurz vor Freiburg im Breisgau. Zur Urlaubszeit ist auf diesem Autobahnabschnitt immer besonders dichter Verkehr.

10

a) Hören Sie den Dialog.
b) Schauen Sie sich die Straßenkarte an. Auf welcher Strecke will Herr Gebhardt nach Süden fahren?
c) Hören Sie sich die Verkehrshinweise noch einmal an. Auf welche Verkehrsbehinderungen weist der Nachrichtensprecher hin, und an welchen Streckenabschnitten sind sie entstanden?

A. Grenzübergang Basel (D-CH)
B. A 81 vor der Ausfahrt Rottweil (D)
C. Grenzübergang Schaffhausen (D-CH)
D. San-Bernardino-Tunnel (CH)
E. Grenzübergang Como (CH-I)

1. Es hat einen Unfall gegeben.
2. Ein Stau wird gemeldet.
3. Die Strecke ist gesperrt.
4. Die Wartezeit bei der Ausreise beträgt mindestens eine Stunde.
5. Es gibt eine Umleitung.

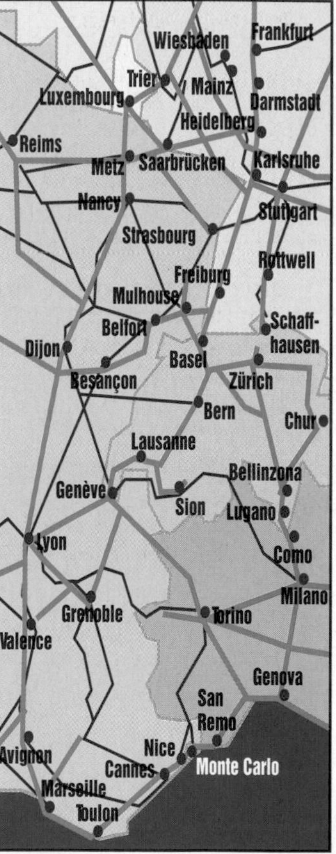

d) Herr und Frau Gebhardt können jetzt eine andere Strecke fahren. Überlegen Sie zusammen mit Ihrem Nachbarn: Welche Strecken kommen für sie in Frage? Welche Strekken lohnen sich überhaupt? Wo ist der Umweg zu groß? Welche Verkehrshinweise müssen sie dann beachten?

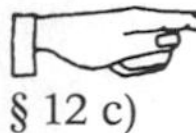

§ 12 c)

Sie könnten zuerst	in Richtung …	fahren.
Dann könnten sie	um … herum	
Bei … könnten sie	über …	
Ich würde	nach …	
Dann würde ich	von … aus … nach …	
	ab … die … nehmen.	
Das würde ich nicht tun. Ich würde eher	bei … auf die … abbiegen.	
Ja, aber dann müßten sie		
Sie könnten aber auch		
Sie sollten besser		

Ich würde zunächst in Richtung Tokio fliegen, bei Katmandu rechts abbiegen und dann die Luftstraße Nr. 367 über Bombay, Daressalam und Tunis nach San Remo nehmen.

Der Freizeitmensch wird zum Warte-Profi

Studie sagt Massenverkehr und Konsumrausch voraus
Von unserem Korrespondenten Thomas Vinsor / Hamburg

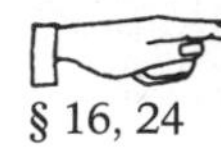
§ 16, 24

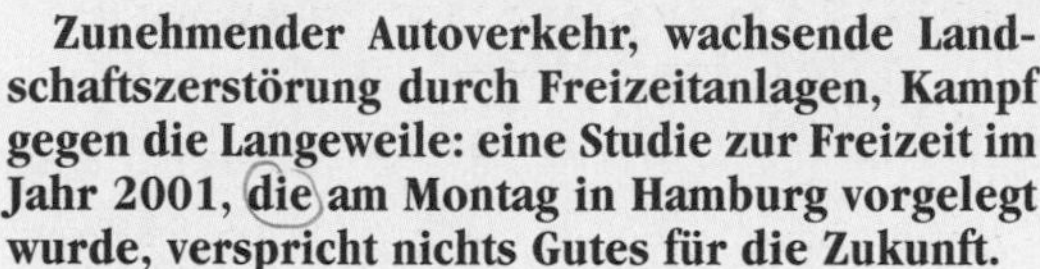
Zunehmender Autoverkehr, wachsende Landschaftszerstörung durch Freizeitanlagen, Kampf gegen die Langeweile: eine Studie zur Freizeit im Jahr 2001, die am Montag in Hamburg vorgelegt wurde, verspricht nichts Gutes für die Zukunft.

„Genießen wir unsere Freizeit heute, denn besser kann sie kaum werden", heißt die Erkenntnis der Experten vom BAT-Freizeitforschungsinstitut. Sie beruht auf der Befragung von rund 2000 Bundesbürgern im Alter von über 14 Jahren. Danach halten die meisten Menschen die Zukunftsrisiken der Freizeitgestaltung für weit höher als die Chancen.

„Mobil und immer aktiv sein" – so wird wahrscheinlich das Motto des Freizeitmenschen der Zukunft heißen. Die Hamburger Forscher meinen: „Das bedeutet auch Massenverkehr. Nach dem Jahr 2000 wird etwa ein Drittel der Bevölkerung dauernd irgendwo auf Kurzurlaub oder Wochenendfahrten unterwegs sein." Das führt zu überfüllten Straßen, zu noch größeren Staus als jetzt schon.

Zumindest in den Industrieländern könnte das nächste Jahrhundert zu einem „Zeitalter der Massenfreizeit" werden mit überfüllten Straßen, Städten, Hotels, Zügen, Kinos und Theatern. Professor Horst Opaschowski, Leiter des BAT-Institutes: „Der Freizeitmensch von 2001 wird sich zum Warte-Profi entwickeln müssen."

Beinahe rauschhafte Formen nimmt voraussichtlich der Konsum an. Die Kauflust wird zu einem Mittel, die Langeweile zu verhindern, meinen die Freizeitforscher: „Shopping wird zu einer Fluchtburg gegen Einsamkeit." Schon jetzt geben 54 Prozent der berufstätigen Frauen und 46 Prozent der Männer unter 34 Jahren zu: „Ich gebe in der Freizeit zuviel Geld aus."

Ein anderes Mittel, Isolation und Langeweile zu überwinden, heißt „Thrilling": Nervenkitzel, Angstlust – eine Mischung aus aufregendem Erlebnis und Risikobereitschaft soll dem Freizeitmenschen der Zukunft ein neues Selbstwertgefühl verschaffen. „Die ständige Bedrohung durch Langeweile verstärkt das Raffinement, das Ausüben extremer Sportarten, die Sucht nach Spaß, nach Strapazen, nach Ablenkung um jeden Preis", sagen die Freizeitforscher. Jeder dritte Bundesbürger fühlt sich heute schon „gestreßt", wenn er „in völliger Stille", ohne Fernsehen und Radio, mit sich allein sein muß. Quintessenz der Experten: Die zunehmende Unfähigkeit vieler Menschen, mit sich und der Freizeit umgehen zu können, wird eines der Hauptprobleme der Zukunft werden.

Augsburger Allgemeine

9. Versuchen Sie die Bedeutung der folgenden Wörter im Gespräch zu klären.

Freizeitanlage Freizeitmensch Freizeitforscher Freizeitforschungsinstitut Massenfreizeit Zukunftsrisiko Nervenkitzel Angstlust Kauflust Fluchtburg Warte-Profi

Was versteht man unter einer Freizeitanlage?

Eine Freizeitanlage ist eine Anlage oder Einrichtung, in der man seine Freizeit verbringen kann.

Präsens
Sie lesen mehr.

Futur
Sie werden mehr lesen.

10. Was werden die Menschen wohl in 20 Jahren in ihrer Freizeit tun?

§ 16

Ich	glaube, nehme an, vermute, denke,	die Menschen die Leute	werden	lieber öfter mehr weniger	zu Hause bleiben. / Auto fahren. Sport treiben. / reisen. lesen. / Computerspiele spielen. Radio hören. / einkaufen. / ...

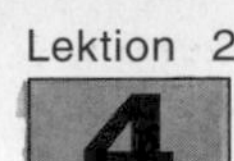

Europa ohne Schlagbäume

Vier Freiheiten, ein Markt – das beschreibt die wesentlichen Änderungen für die 340 Millionen Bürgerinnen und Bürger der Europäischen Union seit dem 1. Januar 1993. Ein Raum ohne Grenzen zwischen Jütland und Sizilien, Chemnitz und Lissabon. Jetzt gilt der Binnenmarkt mit den Grundsätzen „Freizügigkeit für die Bürger", „Freier Warenverkehr", „Freier Dienstleistungsverkehr", „Freier Kapitalverkehr". Steuergrenzen und unterschiedliche technische Vorschriften standen lange im Weg. Seit 1993 wurde nicht alles anders – aber manches. Dafür einige Beispiele:

Keine Steuern für „Souvenirs"

Zigaretten und Alkohol dürfen jetzt ohne neue Versteuerung über die Grenzen innerhalb der Union gebracht werden – unter der Voraussetzung, daß man nicht mehr als 800 Zigaretten und 90 Liter Wein oder 110 Liter Bier „zu privaten Zwecken" im Kofferraum hat. Aber: Pkw gelten nicht als „Souvenirs" – wer ein Auto im Nachbarland kauft, muß trotzdem die Mehrwertsteuer des Landes zahlen, in dem der Wagen angemeldet wird.

Keine Grenzen für das Geld

Geld kann jetzt in jedem EU-Land angelegt werden – in beliebiger Höhe. Banken und Versicherungen dürfen auch in Ländern Aufträge abschließen, in denen sie keine eigenen Niederlassungen haben. Der Wettbewerb nimmt zu, die Kunden haben größere Auswahl. Privatpersonen, aber auch Unternehmen können ohne Begrenzung Geld von einem in jedes andere Mitgliedsland überweisen.

Unbegrenztes Aufenthaltsrecht

Arbeiten auf Mallorca oder in Rom: Alle EU-Bürger, nicht nur die berufstätigen, auch Rentner und Studenten dürfen sich im Mitgliedstaat ihrer Wahl niederlassen und unbegrenzt aufhalten – ohne eine Arbeitserlaubnis zu beantragen. Allerdings: Man muß ein regelmäßiges Einkommen und eine Krankenversicherung haben.

Am Grenzübergang Venlo/Schwanenhaus sägen der deutsche Zollbeamte Gerhard Grüttner (links) und sein niederländischer Kollege Wil Kec den Schlagbaum durch.

Keine Lastwagenstaus mehr an den EU-Grenzen

Jeder „Verkehrsunternehmer" hat das Recht, in allen Mitgliedstaaten der EU Dienstleistungen anzubieten. Allein durch Wartezeiten und Verwaltungsarbeiten entstanden an den Grenzen vor 1993 jedes Jahr Ausgaben von 15 Milliarden DM für die Unternehmen. Die Steuerformalitäten werden jetzt in den Unternehmen selbst erledigt.

11. Welche Überschrift paßt zu den „vier Freiheiten"?

1. Freier Kapitalverkehr: Keine …
2. Freier Warenverkehr: …
3. Freier Dienstleistungsverkehr: …
4. Freizügigkeit für die Bürger: …

12. So war es früher. Wie ist es heute?

Früher

… durfte man nur 300 Zigaretten und 4 Liter Wein aus einem EU-Land in das andere mitnehmen.
… durften Banken nur in Ländern Geschäfte machen, in denen sie eine Niederlassung hatten.
… brauchten EU-Bürger eine Arbeitserlaubnis, um in einem anderen EU-Land zu arbeiten.
… mußten Lastwagen an den Grenzen oft lange warten, um die Formalitäten zu erledigen.
… durften Verkehrsunternehmer in Ländern, in denen sie keine Niederlassung hatten, keine Dienstleistungen anbieten.

Heute

… darf man 800 …
… können …

13. Meinungen zum europäischen Binnenmarkt

11

Hören Sie die Interviews. Ordnen Sie die Aussagen den Personen zu. (Die Aussagen sind nicht wörtlich wiedergegeben!)

1. Gesine Hofer, Busunternehmerin
2. Sepp Grumbach, Student
3. Constanze Bach, Hausfrau
4. Walter Liebherr, Buchhalter

- ☐ hat nichts vom Binnenmarkt.
- ☐ ist froh, daß man an den Grenzübergängen nicht mehr warten muß und nicht mehr kontrolliert wird.
- ☐ klagt darüber, daß die Mehrwertsteuer gestiegen ist.
- ☐ fürchtet, daß Verbrecher leichter fliehen können.
- ☐ findet, daß die Bürokratie im Binnenmarkt gewachsen ist.
- ☐ hat Angst vor der ausländischen Konkurrenz.
- ☐ findet es gut, daß man ohne Probleme in einem anderen Land wohnen kann.
- ☐ fürchtet, daß zu viele Ausländer nach Deutschland kommen und Arbeitsplätze wegnehmen.
- ☐ hofft, daß die D-Mark stabil bleibt.
- ☐ meint, daß der Binnenmarkt nur den großen Firmen Vorteile bringt.

14. Welche Vorteile / Nachteile / Chancen / Gefahren sehen Sie in der Öffnung der Grenzen in Europa?

Ich	denke, nehme an, hoffe, fürchte, kann mir vorstellen,	daß …
Es könnte	sein, passieren, …	

Zahl der Pleiten	Preise	kleine Firmen
Arbeitslosigkeit	Arbeitnehmer	Probleme
Kriminalität	große Firmen	Chancen …

zunehmen — sich verschlechtern — abnehmen — kleiner werden — sinken — wachsen — weniger / mehr Konkurrenz haben — steigen — sich verbessern — größer werden — …

So hatten sich die Architekten dieses Gebäudes das sicher nicht vorgestellt: Die Zollstation an der Autobahn Trier-Luxemburg wird in eine Tankstelle verwandelt. Seit Öffnung des EU-Binnenmarktes stehen die Gebäude der Zollstation leer. Jetzt wird auf beiden Seiten der Grenze je eine große Tankstelle eingerichtet. Der Vorteil: Es wird kein weiterer Boden für den Bau einer neuen Tankstelle verbraucht.

15. Überlegen Sie: Was könnte man an anderen Grenzübergängen mit den Zollhäuschen machen?

Während die anderen im Stau stecken, an überfüllten Stränden einen Sonnenbrand kriegen oder an Flughafenschaltern Schlange stehen, können Sie Ihren Urlaub zu Hause genießen. Und dafür gibt es gute Gründe:

Gute Gründe, im Urlaub zu Hause zu bleiben

1 *Sie wissen immer, wieviel Geld Sie haben: Sie brauchen keins umzutauschen.*
2 *Beginnen Sie mit Ihrer Diät. Niemand paßt auf, ob Sie wirklich abnehmen.*
3 *Um eine Baustelle direkt unter Ihrem Fenster zu haben, brauchen Sie kein teures Hotel zu bezahlen.*
4 *Frühstück, wie Sie es mögen. Kein schwarzer Toast, kein kalter Kaffee. Und Sie können in Ruhe Ihre Heimatzeitung lesen.*
5 *Im Schwimmbad ist endlich Platz. Sie können rückwärts schwimmen, ohne sich umzudrehen, oder einfach die Stille genießen.*
6 *Mit dem Kellner können Sie in Ihrer Muttersprache schimpfen.*
7 *Endlich können Sie Ihre Briefmarkensammlung ordnen.*
8 *Der Urlaubsflirt wohnt nebenan. Das heißt: kein Trennungsschmerz.*
9 *Statt für Sonnenöl können Sie Ihr Geld für einen 78er Burgunder ausgeben.*
10 *Sie bekommen den Auftrag Ihres Lebens – Sie sind als einziger in Ihrer Firma telefonisch erreichbar.*
11 *Sie können in Ruhe zuschauen, wie die Wohnung Ihrer Nachbarn ausgeräumt wird.*
12 *Sie helfen die Umwelt schützen: Sie verbrauchen kein Benzin.*
13 *Beim Zahnarzt brauchen Sie nicht stundenlang Illustrierte zu lesen: Sie kommen sofort dran.*
14 *Sie sind der Herr im Haus: Über Ihnen ein Dutzend leere Wohnungen – Sie können Beethovens Neunte in voller Lautstärke hören.*
15 *Sie brauchen keine dummen Ansichtskarten zu schreiben.*
16 *Sie sichern Ihre Zukunft: Endlich können Sie mal Ihren reichen Onkel besuchen.*
17 *Ihr Bankdirektor ist zufrieden: Sie machen keine Schulden.*
18 *Ihr Rücken bleibt gerade: Sie brauchen kein schweres Gepäck zu tragen.*
19 *Sie haben Zeit, die Fotos vom letzten Urlaub ins Album zu kleben.*
20 *Endlich finden Sie einen Parkplatz in der Stadt.*
21 *Das Bett ruft! Bleiben Sie 24 Stunden drin!*
22 *Regen können Sie auch zu Hause haben. Dafür brauchen Sie nicht an die Riviera.*
23 *Sie bleiben gesund: kein Durchfall, keine Schlafstörungen …*
24 *Sie bekommen neue Freunde: Sie lernen andere kennen, die auch zu Hause geblieben sind.*
25 *Nur wer zu Hause bleibt, kann ungestört vom Urlaub träumen.*

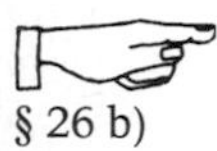
§ 26 b)

16. Finden Sie in Gruppen weitere Gründe, im Urlaub zu Hause zu bleiben – ernsthafte oder weniger ernsthafte.

Endlich Dann	können Sie … dürfen Sie … brauchen Sie nicht zu …

Erlebnisse zu Hause: … Zeit für Hobbys: …
keine lange Autofahrt: … Geld: …
keine Urlaubsrisiken: … fast leere Stadt: …

17. Schreiben Sie einer Freundin oder einem Freund einen Brief und erklären Sie ihr / ihm, warum Sie dieses Jahr im Urlaub zu Hause bleiben.

…, den …

Liebe(r) …,

Du wunderst Dich sicher, daß ich Dir nicht aus einem Urlaubsort schreibe. Aber ich habe beschlossen, dieses Jahr zu Hause zu bleiben. Endlich kann ich … Ich brauche auch nicht … zu …

Herzliche Grüße, Dein(e)

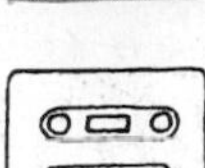

Pläne

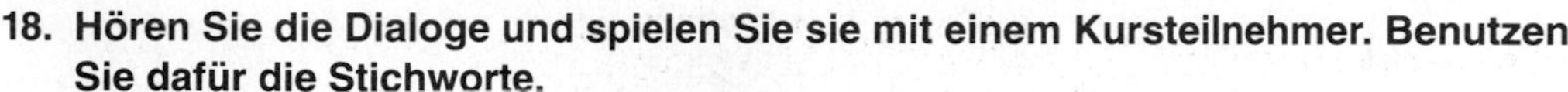

18. Hören Sie die Dialoge und spielen Sie sie mit einem Kursteilnehmer. Benutzen Sie dafür die Stichworte.

12-13

Dialog A

- ausnahmsweise zu Hause bleiben
- sich langweilen
- angenehme Beschäftigungen ... jede Menge
- teure Urlaubsreise ... kein Geld
- was den ganzen Tag machen?
- lesen, schwimmen gehen ...

Dialog B

- Pläne für den Urlaub
- Schiffsreise ... Platz gebucht
- teuer
- Sonderangebot vom Reisebüro ... freie Plätze
- Schiffsreisen nichts für mich ... seekrank ... Urlaub schon gebucht

19. Planen Sie zusammen mit Ihrem Nachbarn eine gemeinsame Reise / ein gemeinsames Wochenende.

Wir | könnten ... / sollten ...
Ich schlage vor ...

Wie findest du das?
Was meinst du?

Ich fände es besser, wenn wir ... würden.
Ich möchte lieber ...

Dann | können / müssen | wir ...
brauchen wir nicht ... zu ...

die Donau abwärts paddeln · irgendwo ein Picknick machen · seltene Vögel beobachten · Urlaub im Zelt machen · sich auf eine Prüfung vorbereiten · eine Abenteuerreise durch die Sahara machen · an einem Theaterfestival teilnehmen · seine Angehörigen besuchen · mit dem Rad die Deutsche Weinstraße entlangfahren · Urlaub auf dem Bauernhof verbringen · in den Alpen klettern · sein Zimmer tapezieren · im Harz wandern und jeden Abend in einer anderen Unterkunft übernachten · ...

Radfahren kann man auch zu Hause.
Große Hitze hasse ich.
Tiere mag ich gern!
Fremde Länder und Kontinente finde ich aufregend.
Campingplätze mag ich nicht!
Kultur strengt mich immer so an!

§ 35

Fünftes Kapitel

Wir fuhren nun über Berg und Tal Tag und Nacht immerfort. Ich hatte gar nicht Zeit, mich zu besinnen, denn wo wir hinkamen, standen die Pferde angeschirrt, ich konnte mit den Leuten nicht sprechen, mein Demonstrieren half also nichts; oft, wenn ich im Wirtshause eben beim besten Essen war, blies der Postillion, ich mußte Messer und Gabel wegwerfen und wieder in den Wagen springen und wußte doch eigentlich gar nicht, wohin und weswegen ich just mit so ausnehmender Geschwindigkeit fortreisen sollte.

Sonst war die Lebensart gar nicht so übel. Ich legte mich, wie auf einem Kanapee, bald in die eine, bald in die andere Ecke des Wagens und lernte Menschen und Länder kennen, und wenn wir durch Städte fuhren, lehnte ich mich auf beide Arme zum Wagenfenster heraus und dankte den Leuten, die höflich vor mir den Hut abnahmen, oder ich grüßte die Mädchen an den Fenstern wie ein alter Bekannter, die sich dann immer sehr verwunderten und mir noch lange neugierig nachguckten.

Aber zuletzt erschrak ich sehr. Ich hatte das Geld in dem gefundenen Beutel niemals gezählt, den Postmeistern und Gastwirten mußte ich überall viel bezahlen, und ehe ich michs versah, war der Beutel leer. Anfangs nahm ich mir vor, sobald wir durch einen einsamen Wald führen, schnell aus dem Wagen zu springen und zu entlaufen. Dann aber tat es mir wieder leid, nun den schönen Wagen so allein zu lassen, mit dem ich sonst wohl noch bis ans Ende der Welt fortgefahren wäre.

Nun saß ich eben voller Gedanken und wußte nicht aus

60

Lektion 3

Holzpreis m^3
Arbeitsstunden
Allgemeinkosten
entwerfen
Kosten berechnen
die Zeichnung
entscheiden
das Modell
produzieren
kontrollieren
verpacken
der Versand

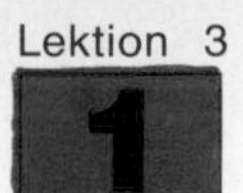

1. Ordnen Sie die Berufe den Bildern zu.

Bäcker
Feuerwehrmann
Friseurin
Hausfrau
Kellnerin
Kunstmalerin
Landwirt/Bauer
Lehrerin
Maler
Pfarrer
Polizist
Rechtsanwältin
Schlosser
Seemann
Sekretärin
Soldat
Tischler/Schreiner
Wahrsagerin

14

2. Hören Sie das Ratespiel.

a) Wie antwortet der Kandidat?

	ja	nein
Herstellung / Verkauf		X
Dienstleistung	X	
besondere Ausbildung	X	
Lehre		X
Abitur	X	
Hochschulstudium	X	
größere Firma		X
geregelte Arbeitszeit		X
viel Freizeit		X
freier Beruf	X	
Kontakt zu Menschen	X	
zu Leuten gehen		X
beraten	X	
Beratung kostenlos		X
nicht selbst bezahlen		X
Leute in Schwierigkeiten	X	
Eheberater		X
juristische Probleme	X	

b) Beschreiben Sie den Beruf mit Hilfe der positiven Antworten:

Der Kandidat arbeitet in einem Dienstleistungsberuf.

Er braucht das Abitur und …

c) Was meinen Sie: Welchen Beruf hat der Kandidat?

3. Beschreiben Sie die Berufe auf Seite 32:

Branche – Status – Ausbildung – Arbeitsplatz – genaue Tätigkeiten – Aufstiegschancen – Arbeitsbedingungen – Vorteile/Nachteile …

Branche	Status	Ausbildung	Tätigkeiten	Arbeitsmittel
Handwerk	Beamter	Lehre	herstellen	Metall
Dienstleistung	Selbständiger	Studium	verkaufen	Holz
Industrie	Angestellter	Praktikum	beraten	Leder
freier Beruf	Arbeiter	keine besondere Ausbildung	behandeln	Textilstoffe
Verwaltung	Handwerker	…	bedienen	Farben
Handel	…		reparieren	…
…			…	

4. Machen Sie selbst ein Ratespiel.

Eine Gruppe wählt einen der Berufe auf Seite 32. Die anderen stellen Fragen, die man mit ja/nein beantworten kann.

Sind Sie mit … beschäftigt?
Stellen Sie einen Gegenstand her?
Ist dieser Gegenstand …?
Brauchen Sie in Ihrem Beruf …?
Haben Sie …

Gehen Sie …?
Kommen die Leute …?
Arbeiten Sie in …? / mit …? / auf …?

Zimmermannsgeselle Jens Brinkmann von dreijähriger Wanderschaft zurück / Vorarbeiter in Westafrika

Gotteshaus und Präsidentenpalast

Von Thomas Güntter und Hans Dieter Stöss (Foto)

Jens Brinkmann reiste zünftig in schwarzer Cordjacke und weiter Hose, auf dem Kopf den breiten Hut, auf der Schulter das Zunfttuch, in dem Werkzeug und Wäsche eingewickelt sind. Der Wanderstab aus naturgewachsener Erle heißt Stenz.

BIELEFELD. Nach genau drei Jahren und elf Tagen ist Jens Brinkmann, 25jähriger Zimmermannsgeselle, von seiner Wanderschaft heimgekehrt. Er ist Mitglied der Zunft der Bauhandwerker, die die Gesellenwanderschaft als Tradition ins Atomzeitalter hinübergerettet haben.

Von seiner Wanderschaft war er begeistert: „Absolut gut, wenn man etwas von der Welt sehen oder in seinem Beruf etwas erleben will." Und das Beste in den drei Jahren? „Die Kameradschaft untereinander", sagt Brinkmann.

Herausragend war mit Sicherheit der Aufenthalt in Afrika, wo er in Gabun, im Westen des Kontinents, mithalf, eine Kirche zu bauen.

➡ Begonnen hatten Brinkmann und sein Mitgeselle Carsten Obermeyer ihre Wanderschaft in Albstadt in der Schwäbischen Alb. Zweieinhalb Monate bauten sie dort an einem großen Ärztehaus mit. Dann trampten sie weiter, über Koblenz und Berlin nach Leipzig. (Die Zimmermannsgesellen reisen in Europa zu Fuß oder per Anhalter. Eisenbahn ist verpönt, und ein eigenes Auto dürfen sie in der Wanderzeit nicht haben.)

Die beiden reisten in die DDR ein, aber nie wieder aus, weil es den zweiten deutschen Staat seit dem 3. Oktober 1990 nicht mehr gibt. Von Leipzig ging es nach Luxemburg, dann über Straßburg nach Schaffhausen. Weiter in den Norden, nach Lübeck, und wieder in den Süden, nach Rottweil am Neckar, und schließlich zurück nach Schaffhausen, wo es Jens Brinkmann besonders gut gefiel.

Über das Allgäu, über Nürnberg und Amberg kamen sie schließlich nach Basel. Hier sahen sie eine Zeitungsanzeige, mit der ein Bauunternehmer für ein Projekt in Westafrika Facharbeiter suchte.

Brinkmann und sein Kamerad meldeten sich, machten alles klar und kamen mit dem Flugzeug am 28. September 1991 an.

Gebaut wurde eine katholische Kirche. Brinkmann arbeitete als Bauleiter. Die Verständigung mit den Einheimischen lief auf Französisch, eine Sprache, die er nicht beherrschte. „Wenn man 15 bis 20 Lehrer hat, und man muß die Sprache schnell lernen, dann geht das eben."

Der Bauunternehmer, der die beiden bezahlte und ihren Flug finanzierte, war Schweizer. Außer an dem Gotteshaus bauten sie auch am Präsidentenpalast. „El Hadsch Omar Bongo hieß der Mann; das klingt wie im Karl-May-Film." Nach vier Monaten mußten Brinkmann und sein Kamerad wieder nach Europa – wegen der Zunftvorschriften, denn die erlauben maximal vier Monate hintereinander im außereuropäischen Ausland.

Die beiden Handwerker flogen wieder nach Schaffhausen. Von dort gingen sie über Mannheim und Ostfriesland nach Husum. Im August 1992 reisten sie noch einmal nach Gabun, wo die Kirche fertiggebaut wurde. Dann zurück in die Schweiz, ins Allgäu und nach Fulda, wo sie an einem zweimonatigen Restauratorkurs teilnahmen.

Die letzte Station war die nordfriesische Insel Amrum, wo Brinkmann fast geblieben wäre, denn man bot ihm dort eine feste Stelle und eine Wohnung.

Er mußte allerdings nach Hause, denn sein Vater wartete. Der hat eine Zimmerei in Bielefeld.

5. Schauen Sie auf eine Landkarte und folgen Sie dem Reiseweg von Jens Brinkmann. Ungefähr wie viele Kilometer hat er wohl zu Fuß oder per Anhalter zurückgelegt?

6. Bereiten Sie in Gruppen Interviewfragen an Jens Brinkmann vor und spielen Sie dann ein Interview mit ihm.

„Handwerk hat goldenen Boden…“

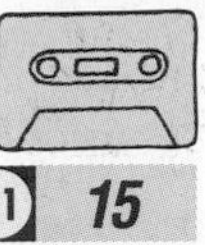

15

7. Hören Sie das Interview.

a) Was ist richtig? Korrigieren Sie die falschen Aussagen.

Herr Bong…	r	f
ist Tischlermeister.		
hat sich vor 5 Jahren selbständig gemacht.		
hat vor 5 Jahren Pleite gemacht.		
hat vorher in einer Firma gearbeitet, die Fertighäuser herstellte.		
hat im Augenblick keine Gesellen.		
hatte einen Gesellen, der wegen einer Stauballergie aufhören mußte.		
wird im Sommer zwei Gesellen bekommen.		
stellt nur Möbel her.		
baut handwerklich gefertigte Möbel nach Maß.		
bekommt keine Aufträge von der Industrie.		
arbeitet mit computergesteuerten Präzisionsmaschinen.		
hat einen Buchhalter eingestellt.		
benutzt einen Computer für Angebote, Rechnungen und Buchhaltung.		
hat keine Rentenversicherung.		
rät den jungen Leuten davon ab, den Beruf des Schreiners zu ergreifen.		
findet, daß Schreiner ein schöner Beruf ist.		
hat Freude daran, selbst etwas herzustellen.		
läßt die Möbel, die er baut, von einem Möbeldesigner entwerfen.		

b) Hören Sie das Interview noch einmal. Was sagt Herr Bong zu diesen Themen:

- Ausbildungszeit
- Gründe, sich selbständig zu machen
- technische Entwicklung im Tischlerhandwerk
- Arbeitsbedingungen und Schutzmaßnahmen
- Beziehung zwischen Handwerk und Industrie
- Zukunftsaussichten
- Altersvorsorge

8. Schreiben Sie in Gruppen ein Porträt von Herrn Bong und vergleichen Sie.

Clemens Bong ist… Seit 5 Jahren Er hat…

Früher hat er… , aber… und …

9. Würden Sie sich auch selbständig machen? – Diskutieren Sie im Kurs.

Welche Vorteile, Nachteile oder Risiken sehen Sie dabei?

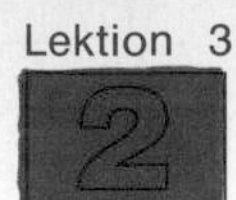

Handwerk oder Industrie? – Wie ein Kleid entsteht

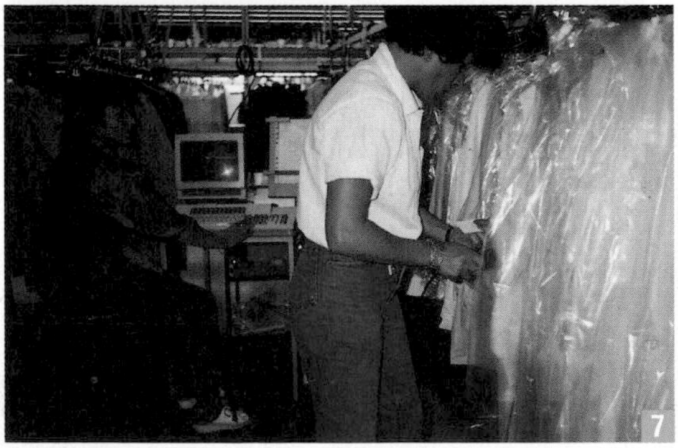

10. Welcher Text gehört zu welchem Bild? Ordnen Sie.

a) Die fertigen Kleider werden noch einmal kontrolliert. Ist das Etikett mit den Angaben zu Größe und Material und der Pflegeanleitung nicht vergessen worden? Teile mit Fehlern werden aussortiert oder zum Reparieren gegeben.

b) Die Präsentationen haben ein gutes Ergebnis gebracht, viele Kleider sind bestellt worden. Jetzt werden die Stoffe, die Knöpfe, die Reißverschlüsse und andere Zutaten für jedes Modell bestellt. Mit dem Zuschneiden der Stoffteile beginnt die Herstellung der Kleider.

c) Das Designer-Team hat die neue Sommerkollektion entworfen. Nach der Modellskizze werden die einzelnen Schnitteile am Computerbildschirm über CAD-Systeme konstruiert.

d) In der Versandabteilung werden die Teile in Kartons verpackt und mit Lastwagen oder mit der Eisenbahn an die Kunden verschickt.

e) Hier werden die Lieferungen für die verschiedenen Kunden zusammengestellt. Die Kleider sind in Schutzhüllen verpackt, damit sie vor Staub und Schmutz sicher sind.

f) Das Modellkleid ist genäht und wird zur Anprobe vorbereitet. Letzte Änderungen können jetzt noch vorgenommen werden.

g) Die zugeschnittenen Einzelteile werden in der Näherei angeliefert. Von jeder Mitarbeiterin werden bestimmte Näharbeiten ausgeführt, z.B. Ärmel oder Knopflöcher. Moderne Arbeitsplätze erleichtern den Näherinnen das Arbeiten.

h) Die neue Sommerkollektion ist fertiggestellt. Jetzt wird sie auf den Fachmessen präsentiert. Wichtige Kunden von Einzelhandelsgeschäften und Kaufhäusern, aber auch Presseleute und Prominente sind zu einer Modenschau eingeladen worden.

11. Das Kleid ist fertig. Von wem sind welche Tätigkeiten übernommen worden? Überlegen Sie.

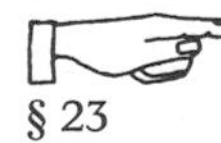
§ 23

Bestellungen der Kunden aufnehmen
das Kleid bügeln
das Kleid den Kunden vorstellen
den Stoff aussuchen
den Verkaufspreis bestimmen
die Herstellungskosten berechnen
eine Modellzeichnung anfertigen
Einzelteile nähen
Einzelteile zuschneiden
entscheiden, ob das Kleid in Serie produziert wird
Stoff und andere Materialien einkaufen

Betriebsleitung, Vertreter, Buchhaltung, Einkäufer, Mannequin, Designerin, Näherinnen, Zuschneiderin, Büglerin

Die Bestellungen der Kunden sind von den Vertretern aufgenommen worden.

Das Kleid ist von ... worden ...

Passiv:

Vorgang
Das Kleid ist genäht worden.

Zustand, Ergebnis
Das Kleid ist genäht.

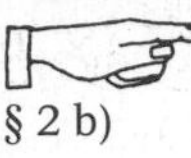

§ 2 b)

850 Stahlarbeiter bald ohne Beschäftigung

Weserstahl vor dem Konkurs

Kritik der Arbeitnehmer: „Der Stahlindustrie geht es seit langem schlecht, das weiß jeder. Aber die Arbeitgeber tun nichts. Wir wollen keine Sozialpläne – wir wollen Arbeit!"

Umsätze in der Textilindustrie sinken

Viele Textilarbeiter bald arbeitslos? – Produktion im Ausland ist billiger.

7000 Gewerkschafter bei Demonstration zum 1. Mai auf dem Römerberg

Frankfurt. „In den letzten drei Jahren sind 10000 Arbeitsplätze im Raum Frankfurt vernichtet worden", so ein Sprecher der Gewerkschaften bei der zentralen Kundgebung zum 1. Mai auf dem Frankfurter Römerberg.

Entlassungen bei Airbus lösen Kritik aus

Deutsche Aerospace Airbus GmbH, Hamburg. Rund 3000 Mitarbeiter, so erklärt der Gesamtbetriebsrat, sollen in den zehn Standorten der DA Airbus GmbH im Zeitraum bis 1995 abgebaut werden. Der Betriebsrat des Flugzeugbau-Unternehmens wirft dem Management daher in einer öffentlichen Erklärung „Versagen in Krisenzeiten" vor…

Flugpersonal streikt bei Austrian Airlines

Wien (dpa). Das fliegende Personal der österreichischen Fluggesellschaft Austrian Airlines trat in einen unbefristeten Streik. Die Mitarbeiter wollen damit gegen geplante Entlassungen protestieren. Auf dem Wiener Flughafen warteten in der Nacht Hunderte von Passagieren auf ihre Flüge…

Große Kundgebung bei Mercedes

Stuttgart (Reuter). Rund 45000 Mitarbeiter der Mercedes-Benz AG haben gestern in verschiedenen Werken gegen den Abbau von Sozialleistungen und Entlassungen demonstriert. Ein Sprecher der IG Metall sagte, im Sindelfinger Werk hätten 20000 Menschen an der größten Kundgebung bei Mercedes seit dem Krieg teilgenommen. Redner kritisierten den geplanten Abbau der freiwilligen Sozialleistungen. Mercedes will 200 Millionen Mark jährlich einsparen.

„Aus" für Böske-Automatenbau

Die Krise im Werkzeugmaschinenbau macht auch vor dem Darmstädter Unternehmen nicht halt. Ende des Monats werden 450 Arbeiter und Angestellte auf der Straße stehen.

Mehr Freizeit, aber weniger Geld

Wolfsburg. Um Massenentlassungen zu vermeiden, schlägt die Volkswagen AG dem Betriebsrat vor, in Zukunft nur noch vier Tage in der Woche zu arbeiten. Nachteil dieses Vorschlags: Die Arbeitnehmer sollen 20 Prozent weniger Lohn bekommen. Das will die Gewerkschaft aber nicht akzeptieren. Ein Gewerkschaftssprecher: „Die Unternehmen machen immer noch genug Gewinn. Weniger Arbeit für jeden, damit alle Arbeit haben – das ist in Ordnung. Deshalb fordern wir schon seit Jahren die 35-Stunden-Woche – aber bei voller Bezahlung!"

12. Fassen Sie die Zeitungstexte mit eigenen Worten zusammen.

a) Welche Gründe geben die Arbeitgeber für die Entlassungen an?
b) Welche Argumente haben die Arbeitnehmer und die Gewerkschaften?
c) Diskutieren Sie: Welche Argumente gibt es für und gegen die 4-Tage-Woche?

16-17

13. Ordnen Sie die Sätze zu zwei Dialogen. Hören Sie danach die Dialoge und vergleichen Sie Ihre Lösung mit dem, was Sie hören. Spielen Sie dann die Dialoge.

Das ist ja höchst interessant… Er hatte doch immer Ärger mit seinen Arbeitskollegen.
Mal sehen. Vielleicht mache ich mich selbständig. Ach, mir ist gekündigt worden.
Naja, außerdem scheint er etwas Besseres gefunden zu haben. Und was machst du nun?
Mensch, was ist denn mit dir los?
Mit welcher Begründung denn? Nun, ich kann ja erst mal einen Kredit aufnehmen…
Es gibt kaum noch Aufträge in der Branche. Und jetzt müssen sie 200 Leute entlassen.
Hast Du schon gehört? Georg hat seine Stellung aufgegeben.
So? Was denn? Er soll der Vertreter einer deutschen Firma im Ausland werden, glaube ich.
Ist der denn wahnsinnig? Das hätte ich aber nicht getan an seiner Stelle.
Aber deshalb kündigt man doch nicht gleich! Aber dazu braucht man doch Kapital.

14. Erarbeiten Sie weitere Dialoge zum Thema „Kündigung / Entlassung". Sicher haben Sie noch mehr Einfälle:

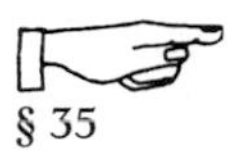

§ 35

Ursachen in einem Betrieb

kann nur noch 150 Leute beschäftigen
nur Mißerfolge mit dem neuen Produkt
gezwungen, ein ganzes Werk zu schließen
zu hohe Verluste
keine Aufträge mehr
Geschäftsleitung: zu viele Pannen verursacht
kein Bedarf mehr für bestimmte Fachleute
Macht der Konkurrenz zu groß
Abteilung lohnt sich nicht mehr
Rationalisierung im Betrieb
…

Gründe für einen Arbeitnehmer

beruflich verbessern
eigene Existenz aufbauen
mehr Verantwortung tragen
Angebot bekommen von einer anderen Firma
Vertrauen zum Chef gestört
immer Krach gehabt mit den Kolleginnen und Kollegen
bessere Aussichten in einer anderen Branche
…

Aussichten / Pläne / Möglichkeiten

erst mal einen Gelegenheitsjob machen
umschulen (anderen Beruf lernen)
Vertreter einer ausländischen Gesellschaft werden
mit Ersatzteilen für Computer handeln
Taxi fahren   eine Kneipe aufmachen
einen ganz neuen Artikel herstellen
…

Kommentare / Meinungen

Das kann er sich doch gar nicht leisten in seiner Lage!
Dazu fehlen ihm doch mit Sicherheit die Mittel!
Bei der Arbeitslosigkeit heute ist das doch das Dümmste, was man tun kann!
Das würde ich auch tun unter diesen Voraussetzungen.
Dazu gehört aber Mut!
…

4

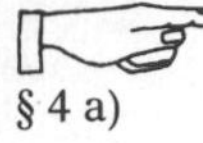

§ 4 a)

Berufe mit Zukunft – Berufe der Zukunft

Medienpädagoge / Medienpädagogin

Sie beschäftigen sich mit dem Einfluß der Medien (Fernsehen, Video, Computerspiele usw.) auf Kinder und Jugendliche. Sie beraten Rundfunkanstalten, analysieren Fernsehprogramme und testen Computerspiele. Sie sollten sich für die Welt der Kinder interessieren und ein Studium für Sozialpädagogik an einer Fachhochschule oder Universität abgeschlossen haben. Dann können Sie 4000 Mark und mehr verdienen.

Abfalltechniker / Abfalltechnikerin

Sie planen und organisieren den Transport und die Lagerung von Müll. Sie machen chemische Analysen von Abfällen und Kontrollen von Abfallanlagen und Mülldeponien. Nachdem Sie Ihren Hauptschulabschluß gemacht haben, machen Sie eine zweijährige Ausbildung als staatlich geprüfter Abfalltechniker an einer Fachschule. Ihr Anfangsgehalt beträgt etwa 3600 DM. Sie können dann bei der Industrie, der Kommunalverwaltung oder in besonderen Entsorgungsbetrieben eingestellt werden.

Raumausstatter / Raumausstatterin

Wenn Sie handwerklich begabt und kreativ sind, können Sie zwischen 3500 und 6000 Mark als Selbständiger verdienen. Sie richten Häuser, Wohnungen, Verkaufs- und Büroräume für Privat- oder Geschäftskunden ein, legen Teppiche, verkleiden Wände und entwerfen Fensterdekorationen. Dafür sollten Sie mindestens eine dreijährige Lehre gemacht haben oder Innenarchitektur studiert haben.

Schuldenberater / Schuldenberaterin

In den Zeiten der Wirtschaftskrise steigt die Zahl der Firmenpleiten. Private Bankkunden wissen nicht mehr, wie sie ihre Kredite bezahlen sollen. Hier sind Sie als Schuldenberater gefragt. Sie geben Ratschläge, wie Schulden am besten verteilt werden können. Eine besondere Ausbildung gibt es nicht für diesen Beruf, aber Sie sollten möglichst schon Steuerberater, Betriebswirt, Wirtschaftsprüfer oder Bankkaufmann sein, bevor Sie sich selbständig machen. Ihr Einkommen kann sehr unterschiedlich sein, aber der Bedarf für Schuldenberater wird auf jeden Fall immer größer.

Informationsmakler / Informationsmaklerin

Weltweit existieren fast 10000 Datenbanken mit Informationen zu Wirtschaft, Politik, Wissenschaft und Technik. Beinahe jeder, der einen Computer hat, könnte sich seine Informationen besorgen. Aber wer weiß schon, wo. Sie wissen es! Sie kennen die wichtigsten Datenbanksysteme und können Ihren Kunden die gewünschten Informationen liefern. Sie haben ein Studium der Informationswissenschaften abgeschlossen und vielleicht eine zusätzliche Qualifikation in einem besonderen Fachgebiet. Dann können Sie mehr als 8000 Mark im Monat verdienen.

15. Machen Sie Notizen und berichten Sie mit eigenen Worten über die Berufe der Zukunft.

Beruf	Tätigkeiten	Voraussetzungen / Ausbildung	Einkommen
Medienpädagoge / Medienpädagogin			
Abfalltechniker / Abfalltechnikerin			
Raumausstatter / Raumausstatterin			
Schuldenberater / Schuldenberaterin			
Informationsmakler / Informationsmaklerin			

16. Zukunftsberufe

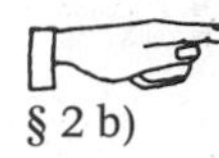

Berufe

Alkohol-	Möbel-	Analytiker
Arbeitsklima-	Mode-	Beamter
Arbeitslosen-	Nachfrage-	Berater
Auftrags-	Nahrungsmittel-	Chef
Ausländer-	Öffentlichkeits-	Designer
Ausstellungs-	Patienten-	Erfinder
Bedarfs-	Reklame-	Fachmann
Betriebs-	Schadens-	Ingenieur
Bewegungs-	Sexual-	Makler
Eisenbahn-	Software-	Manager
Feiertags-	Spiele-	Pädagoge
Freizeit-	Sport-	Restaurator
Gebrauchsanweisungs-	Toiletten-	Techniker
Geldschein-	Umwelt-	Tester
Gelegenheits-	Unterwäsche-	Texter
Geschenk-	Verkehrs-	Therapeut
Kälte-	Verlust-	Vermittler
Kommunikations-	Wärme-	Vernichter
Konkurs-	Weltraum-	Verwalter
Krisen-	Zeit-	Wächter
Markennamen-	Zigaretten-	…
Medikamenten-	Zoo-	
	…	

Tätigkeiten

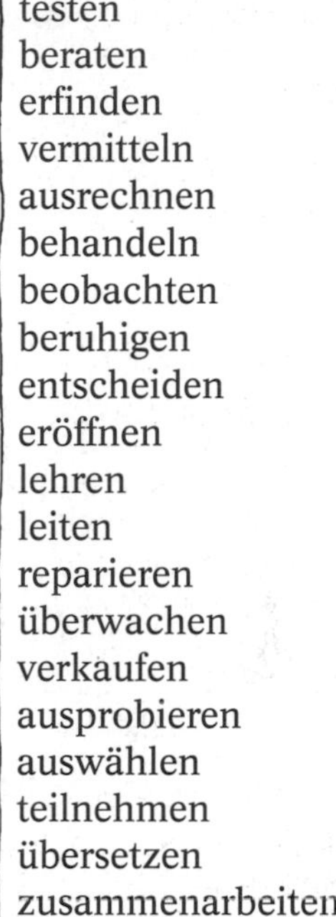

testen
beraten
erfinden
vermitteln
ausrechnen
behandeln
beobachten
beruhigen
entscheiden
eröffnen
lehren
leiten
reparieren
überwachen
verkaufen
ausprobieren
auswählen
teilnehmen
übersetzen
zusammenarbeiten
…

a) Was meinen Sie: Was für Berufe sind auf den Bildern dargestellt?

b) Probieren Sie (in Gruppen) verschiedene Wortkombinationen aus, wählen Sie eine aus und beschreiben Sie „Ihren" Zukunftsberuf.

Max von der Grün

Egon Witty

Was wird sein, wenn ich Meister bin, dachte er. Was wird sein?
Was wird sich im Betrieb und in meinem Leben verändern? Wird sich überhaupt etwas verändern? Warum soll sich etwas verändern? Bin ich ein Mensch, der verändern will?
Er stand unbeweglich und beobachtete nachdenklich das geschäftige Treiben auf dem Platz vor der Lagerhalle, der hundert Meter weiter unter einer brennenden Sonne lag. Die Männer dort arbeiteten ohne Hemd, ihre braunen Körper glänzten im Schweiß.
Ab und zu trank einer aus der Flasche. Ob sie Bier trinken? Oder Cola?
Was wird sein, wenn ich Meister bin? Mein Gott, was wird dann sein? Ja, ich werde mehr Geld verdienen, kann mir auch einen Wagen leisten, und die Kinder werde ich zur Oberschule schicken, wenn es soweit ist. Vorausgesetzt, sie haben genug Verstand dazu. Eine größere Wohnung werde ich bekommen von der Werksleitung, und das in der Siedlung, in der nur Angestellte der Fabrik wohnen.
Vier Zimmer, Küche, Bad, Balkon, kleiner Garten – und Garage. Das ist schon etwas. Dann werde ich endlich heraus sein aus der Arbeitersiedlung, wo die Wände Ohren haben, wo einer dem andern in den Kochtopf guckt und der Nachbar an die Wand klopft, wenn meine Frau den Schallplattenspieler zu laut aufdreht und die Beatles laufen läßt.
Meister, werden dann hundert Arbeiter zu mir sagen – oder Herr. Oder Herr Meister oder Herr Witty. Wie sich das wohl anhört:
Herr Witty! Herr Meister! Er sprach es mehrmals laut vor sich hin.
Der Schweißer Egon Witty sah in die Sonne und auf den Platz, der unter einer brennenden Sonne lag, und er fragte sich, was die Männer mit den nackten Oberkörpern wohl tranken: Bier? Cola? Schön wird das sein, wenn ich erst Meister bin, ich werde etwas sein, denn jetzt bin ich nichts, nur ein Rädchen, das man ersetzen kann. Nicht so leicht ersetzbar aber sind Männer, die Räder in Bewegung setzen und kontrollieren. Ich werde in Bewegung setzen und kontrollieren, ich werde etwas sein, ich werde bestimmen, anordnen, von der Liste streichen, beurteilen, für gut befinden. Ich werde die Verantwortung tragen.

Lektion 4

die Prüfung
die Bescheinigung
die Wandtafel
der Unterricht
die Gruppenarbeit
Regel
$a^2 + b^2 = c^2$
die Lernkartei
die Nachhilfe
die Lehrkraft
ANMELDUNG
SEKRETARIAT

laufen
sprechen
schwimmen
radfahren
Auto fahren
Klavier spielen
schreiben
rechnen
lesen
kochen
skilaufen
fliegen

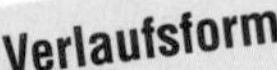

Verlaufsform

Das Kind lernt <u>gerade</u> laufen.
Das Kind <u>ist dabei</u>, laufen <u>zu</u> lernen.

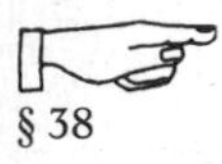

§ 38

1. Beschreiben Sie die Situationen auf den Bildern möglichst genau.

Was lernen die Menschen/Tiere gerade?
Wie/in welcher Situation/mit welchen Mitteln lernen sie?
Wer hilft ihnen?

> Auf Bild … lernt ein Kind gerade laufen.
> Es hält die Hände hoch, damit es nicht fällt.
> Es freut sich darüber, daß …

> Die kleinen Vögel auf Bild …
> sind dabei, fliegen zu lernen.
> Die Eltern machen es vor.

2. Können Sie sich erinnern: Wann und wie haben Sie diese und andere Dinge gelernt?

… habe ich	mit … Jahren in … bei … von … ohne …	gelernt.	Ich habe immer wieder … hat mir geholfen,	probiert, geübt,	… zu …

… hat mir gezeigt, / beigebracht, / vorgemacht, wie …

Schließlich Endlich Nach ein paar Versuchen/Mißerfolgen	ist es mir gelungen, … zu … konnte ich … hatte ich es geschafft.

3. Klassentreffen. Hören Sie zu und ordnen Sie zu.

18

Marlies (M) Klaus (K) Herbert (H)

- ☐ hat immer die Tafel putzen müssen.
- ☐ hat oft nachsitzen müssen, weil er/sie zu spät gekommen war.
- ☐ hat dauernd in der Ecke stehen müssen.
- ☐ hat immer Herberts Pausenbrote essen dürfen.
- ☐ hat dem Mathematiklehrer einmal das Lösungsbuch gestohlen.
- ☐ hat seine Hausaufgaben immer von Marlies abschreiben dürfen.
- ☐ hat sich vor dem Englischlehrer gefürchtet.
- ☐ hat das Klassenbuch verbrannt.
- ☐ hat sich einmal im Klassenschrank versteckt.

4. Berichten Sie: Wie war Ihre Schulzeit?

Perfekt + Modalverb

Sie hat die Tafel geputzt.
Sie hat die Tafel <u>putzen müssen</u>.

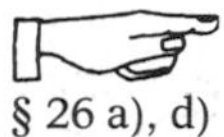

§ 26 a), d)

Also, wir haben nie Gruppenarbeit machen dürfen.

Bei uns war das anders. Wir haben dauernd Gruppenarbeit machen müssen!

Wir haben	immer nie oft (nur) selten dauernd meistens jeden Tag jede Woche	…	müssen. dürfen. können.

ordentlich in den Bänken sitzen · Hausaufgaben machen · nachmittags in die Schule · unsere Meinung frei sagen · alles sorgfältig ins Heft schreiben · den Lehrer kritisieren · mit dem Nachbarn reden · eine Schuluniform tragen · Gruppenarbeit machen · im Fremdsprachenunterricht unsere Muttersprache benutzen · alles auswendig lernen

5. Hören Sie gut zu und erzählen Sie zuerst den Streich nach. Erzählen Sie dann ähnliche Geschichten aus Ihrer eigenen Schulzeit.

19

Eines Tages … Da/Dann … Deshalb … Nach … Minuten Später … Schließlich … Da …	mündlich geprüft werden Schulklingel auf Tonband aufnehmen Lautsprecher verstecken Tonbandgerät einschalten glauben, daß die Uhr nachgeht rauskommen Prüfung nachholen schimpfen nachsitzen

3

Sitzordnung …
… ist das überhaupt so wichtig?

Mein ganzes Schülerleben habe ich damit verbracht, nach vorn zu gucken, auf den Lehrer, und so zu tun, als ob ich ihm ständig aufmerksam zuhören würde. Meine Klassenkameraden sah ich entweder gar nicht oder nur von hinten - manchmal wußte ich nicht, wer dieser oder jener Rücken eigentlich war.

Ich gab mir Mühe, alles zu hören, was der Lehrer sagte, denn wenn ich aufgerufen wurde, mußte ich es möglichst so wiedersagen, wie ich es gehört hatte. Manchmal gab es eine kleine Diskussion mit dem Lehrer, das machte die Sache spannender. Aber dabei fiel mir auf, daß ich nicht gelernt hatte, auf den Mitschüler zu hören, ihn zu verstehen. Denn die Äußerung eines Mitschülers aufzunehmen und mit ihr weiterzudenken, schien mir selten notwendig – am Ende war ja doch nur das gefragt, was der Lehrer gesagt hatte.

Schön fand ich es allerdings, wenn ein Lehrer gut erzählen konnte. Ich hörte dann zwar gespannt zu – aber alles, was die Erzählung in mir bewegt hatte, blieb in meinem Kopf. Ich saß alleine damit herum, wenn ich es nicht wenigstens meinen Eltern erzählen konnte. Mit der eigenen Reaktion weiterzuarbeiten, das war in der Klasse nicht möglich. Außerdem – was für einen Wert hatte diese eigene Reaktion schon? Was richtig war, stand fest, und der Lehrer teilte es mir mit.

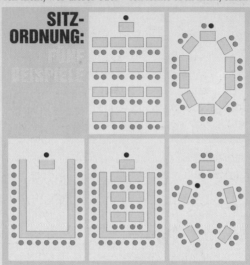

Sicher habe ich auf diese Weise auch vieles gelernt. Aber ich lernte eben nicht, einen Unterrichtsstoff so intensiv zu verarbeiten, daß ich ihn aus verschiedenen Richtungen sehen konnte, seine verschiedenen Funktionen in meinem Leben und im Leben anderer begriff. Ich konnte zwar alles wiederholen, aber es fiel mir schwer, das, was ich im Unterricht gelernt hatte, etwa in einer „Pro- und Contra-Diskussion" zu verteidigen, also selbständig damit umzugehen. Denn Zuhören und Eingehen auf das, was ein anderer gesagt hatte, war schon deshalb schwierig, weil es sozusagen mit Gymnastik verbunden war: Mit dem Oberkörper und dem Kopf mußte ich mich ständig nach hinten beugen, während das Unterteil an der Bank festklebte.

Heute bilde ich selbst Lehrer aus. Auch dabei ist es oft nicht einfach, jemanden davon zu überzeugen, daß die Sitzordnung in der Klasse immer zur Arbeitsweise passen muß …

SITZ-ORDNUNG: FÜNF BEISPIELE

6. In welcher Sitzordnung (1–5) hat der Autor wahrscheinlich gesessen?

7. Wo steht das im Text?

	Zeile …	bis Zeile …
Er blieb mit dem, was ein Lehrer erzählt hatte, allein.		
Er fand es meistens nicht notwendig, sich zu merken, was ein anderer Schüler gesagt hatte.		
Er hat die Bedeutung des Unterrichtsstoffs für sein Leben nicht verstehen können.		
Er hat immer genau wiederholen müssen, was der Lehrer gesagt hatte.		
Es war für ihn schwierig, auf die Äußerungen eines Mitschülers zu antworten, weil er sich dann umdrehen mußte.		
Jetzt unterrichtet er selbst Lehrer, und es ist nicht immer leicht für ihn, die Leute von der richtigen Sitzordnung zu überzeugen.		
Seine eigenen Reaktionen waren nicht wichtig.		
Während seiner ganzen Schulzeit hat der Autor immer auf den Lehrer schauen müssen.		

8. Diskutieren Sie über die Sitzordnungen.

a) Welche Bezeichnung paßt am besten für welche Sitzordnung? (Zeichnungen auf Seite 46)

„U-Form" Nr. ☐ „Kleingruppen" Nr. ☐ „Kombination von U-Form und Frontalunterricht" Nr. ☐
„Frontalunterricht" Nr. ☐ „Kreis" Nr. ☐

b) Welche Vor- und Nachteile haben die Sitzordnungen? Welche finden Sie am besten?

Bei	…	kann	man	gut / nicht so gut	…
In			der Kursleiter	zwar …, aber	
			die Kursleiterin	entweder … oder	
		können	die Kursteilnehmer	weder … noch	
			manche Kursteilnehmer	sowohl … als auch	
				nicht nur …, sondern auch	

§ 35 c), 38

Im Kreis kann man sowohl auf den Lehrer als auch auf die anderen Kursteilnehmer eingehen.

Beim Frontalunterricht kann man weder Gruppenarbeit noch Diskussionen machen.

In Kleingruppen kann man zwar gut Gruppenarbeit machen, aber manche Kursteilnehmer können die Tafel nicht sehen.

miteinander lernen   aufeinander eingehen   mit einem Partner zusammenarbeiten
in Gruppen arbeiten   den Lehrer sehen   die Tafel sehen   gemeinsam ein Problem lösen
die Kursteilnehmer kontrollieren   dem Lehrer zuhören   einen Text zusammen lesen
Spiele machen   einzeln arbeiten   sich verstecken   schlafen   den Kursteilnehmern helfen
Ergebnisse besprechen   einen Film sehen   sich konzentrieren   selbständig lernen
an einer Diskussion teilnehmen   eine Übung zusammen machen   ein Gespräch führen
jeden sehen   voneinander lernen   gemeinsam singen   gestört werden …

§ 9

9. Kreuzen Sie in der folgenden Liste die fünf für Sie wichtigsten Punkte an.

Vergleichen Sie mit Ihrem Nachbarn und diskutieren Sie über Ihre Lerngewohnheiten.

Wie lernen Sie am besten?

- ☐ wenn der Stoff mit Worten erklärt wird
- ☐ wenn ich ein Bild oder einen Film sehe
- ☐ wenn ich etwas von der Tafel abschreibe
- ☐ wenn ich mir eigene Notizen mache
- ☐ wenn ich dabei etwas anfassen kann
- ☐ wenn ich etwas selbst ausprobieren kann
- ☐ indem ich mir Beispiele merke
- ☐ indem ich mir eine Regel merke
- ☐ indem ich etwas auswendig lerne
- ☐ wenn ich dabei an etwas Schönes denke
- ☐ wenn etwas mit Humor dargestellt wird
- ☐ wenn etwas sachlich dargestellt wird
- ☐ wenn ich mich dafür anstrengen muß
- ☐ wenn ich in Konkurrenz zu anderen stehe
- ☐ wenn es dafür Noten gibt
- ☐ wenn ich es für eine Prüfung brauche
- ☐ wenn ich mit anderen darüber spreche
- ☐ wenn ich mit anderen zusammen übe
- ☐ wenn ich Vertrauen zur Lehrperson habe
- ☐ wenn die Lehrperson streng ist
- ☐ wenn ich es direkt anwenden kann
- ☐ wenn ich damit Geld verdienen kann
- ☐ wenn ich dabei Musik höre
- ☐ wenn ich dabei etwas esse oder trinke
- ☐ wenn ich gute Laune habe
- ☐ wenn ich mich beim Lernen beeilen muß
- ☐ wenn ich oft gelobt werde
- ☐ wenn ich oft verbessert werde

Schulbildung heute

Hätten Sie's gewußt?

Unsere Kinder lernen nichts mehr. So klagen Eltern, Lehrer und Arbeitgeber. Wir wollten wissen, ob das stimmt, und testeten die Kenntnisse von 1000 Jungen und Mädchen.

Die Lehrer schüttelten den Kopf und seufzten, wenn sie unsere Klasse verließen und wieder mal festgestellt hatten, daß sie nie schlechtere Schüler als uns gehabt hätten. Wer kennt sie nicht, die Sprüche verzweifelter Pauker und Ausbilder, die dafür bezahlt werden, einer neuen Generation etwas beizubringen...? Wir aber grinsten nur und schlugen die Tafel auf. Da stand: „Kein Schüler kann besser sein als sein Lehrer." Doch die unter uns, die später selbst Lehrer geworden sind, lassen heute wieder die bekannte Klage hören: „Die Schüler lernen einfach nichts."

Dem Chor der Unzufriedenen schließt sich auch alljährlich die Wirtschaft an. Ob die Schulabgänger den Dreisatz beherrschen, mit Computern umgehen können oder zusätzlich einen Schreibmaschinenkurs gemacht haben - dem Wunsch-Lehrling oder dem Traum-Studenten entsprechen sie noch lange nicht. Beim zukünftigen Kfz-Mechaniker fehlt es an der Rechtschreibung, die spätere Rechtsanwaltsekretärin hat Probleme mit der Grammatik, ein zukünftiger Arzt weiß nicht, was der „kategorische Imperativ" ist.

„Allgemeinbildung" heißt das Rezept, das man neuerdings wiederentdeckt hat. Der Präsident des Arbeitgeberverbandes beklagt, daß es zu viele Spezialisten gibt. Er nennt sie „ökonomische Analphabeten" und kennt auch das Gegenmittel: „Allgemeinbildung". Bei einer Umfrage unter nordrhein-westfälischen Wirtschaftsführern sagten 70 Prozent, daß sie eine umfassende Allgemeinbildung einer fachlichen Spezialisierung vorzögen.

„Wer den größeren Horizont hat, kann sich später besser spezialisieren", sagt auch der Hamburger Studienrat Thomas Unruh. Damit die Schüler dieses Wissen immer bereit haben, entwickelte der 38jährige Pädagoge eine Kartei mit 320 Fragen aus zwölf Fachgebieten. „Im Grunde das Wissen", meint Unruh, „über das ein Schulabgänger heute verfügen sollte."

Wir wollten herausfinden, wie es denn wirklich um die Allgemeinbildung unserer Schüler steht, und wählten aus der Lernkartei 20 Fragen aus den Bereichen Kunst bis Computer aus. Diese Fragen legten wir 1000 Jugendlichen vor: Haupt-, Real-, Gesamtschülern und Gymnasiasten, 14 bis 16 Jahre alt, viele von ihnen kurz vor dem Start ins Berufsleben. Gleichzeitig wurden 100 Lehrer auf die Probe gestellt: Sie mußten dieselben Fragen beantworten. Hier die Ergebnisse:

10. Was gehört zusammen?

Die heutigen Kinder...
Die Autoren des Artikels...
Die damaligen Lehrer...
Die heutigen Lehrer...
Viele Schulabgänger...
Der Präsident des Arbeitgeberverbandes...
Die meisten Wirtschaftsführer...
Der Studienrat Thomas Unruh...
100 Lehrer...

...entsprechen nicht den Wünschen der Wirtschaft.
...fordert eine bessere Allgemeinbildung bei Schülern.
...wurden auch mit diesen Fragen getestet.
...haben 1000 Jugendliche mit der Fragenkartei getestet.
...hat eine Kartei mit Fragen aus zwölf Fachgebieten entwickelt.
...klagen darüber, daß die Kinder einfach nichts lernen.
...lernen angeblich nicht genug.
...meint, daß die 320 Fragen das heute notwendige Wissen eines Schulabgängers darstellen.
...meint, daß es zu viele Spezialisten gibt.
...stellten oft fest, daß sie nie schlechtere Schüler gehabt hätten.
...wollten wissen, ob die Allgemeinbildung der Schüler wirklich so schlecht ist.
...würden eine umfassende Allgemeinbildung einer fachlichen Spezialisierung vorziehen.

	Fragen	Schüler*	Lehrer*	Ihre Antwort?
1	Welcher Planet wird Abendstern genannt?	23,3	51	
2	Wie nennt man eine Lebensgeschichte, die man selbst geschrieben hat?	38,7	99	
3	Was ist die „Zauberflöte"?	57,6	97	
4	Wofür stehen die olympischen Ringe?	51,3	85	
5	Gegen welche Krankheit verwendet man Insulin?	46	97	
6	Wie groß ist der Umfang der Erde?	35,6	69	
7	Von wem ist „Aida"?	17,6	85	
8	Wer wählt den Bundeskanzler?	46,6	92	
9	Was zeigt das Barometer an?	58,7	61	
10	Welcher große Maler und Naturforscher malte Mona Lisa?	41,2	92	
11	Wer wurde der „Sonnenkönig" genannt?	43,1	95	
12	In welchem alten Buch findet ein Mann, der von einer abenteuerlichen Seefahrt zurückkehrt, ein Menge Männer bei seiner Frau und befreit sie von ihnen?	18	72	
13	Wie heißen die Adern, die das Blut vom Herzen in den Körper transportieren?	42,9	57	
14	Von wem stammt das Bild „Guernica", das die Schrecken des Krieges darstellt?	9,7	59	
15	In welcher Einheit wird der elektrische Widerstand gemessen?	35,7	53	
16	Wie viele Knochen hat der menschliche Körper?	23,4	28	
17	Seit wann gibt es in Deutschland keinen Kaiser mehr?	28,7	80	
18	Welcher Maler stellte Marilyn Monroe auf Postern dar?	9,3	43	
19	Wie heißt die kleinste Informationseinheit beim Computer?	34,8	67	
20	Was ist das Gegenteil von Kernspaltung?	25,2	89	

* richtige Antworten in Prozent

11. Versuchen Sie selbst, die Fragen zu beantworten. Vergleichen Sie dann die Ergebnisse im Kurs mit der Tabelle.

12. Aus welchen Fachgebieten stammen die Fragen?

Fragen Nr.	*Fragen Nr.*	*Fragen Nr.*	*Fragen Nr.*
Astronomie:	Geschichte:	Literatur:	Physik:
Biologie:	Informatik:	Medizin:	Politik:
Geographie:	Kunst:	Musik:	Sonstige:

13. Wie finden Sie die Fragen? Sind sie Ihrer Meinung nach repräsentativ? Welche anderen Fachgebiete sollte man noch berücksichtigen?

14. Machen Sie selbst in Gruppen einen Fragenkatalog von 10 Fragen zur Allgemeinbildung, legen Sie ihn den anderen Gruppen vor und diskutieren Sie im Kurs darüber.

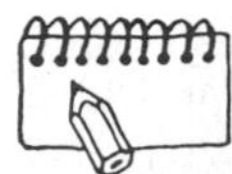

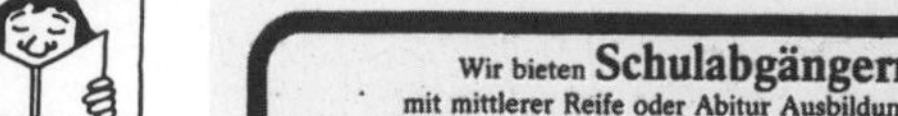

Wir bieten **Schulabgängern** mit mittlerer Reife oder Abitur Ausbildung zum

Staatl. gepr. Chem. Techn. Assistenten
Staatl. gepr. Pharmaz. Techn. Assistenten

Beginn: **August 1993**

Absolventen mit mittlerer Reife können gleichzeitig die Fachhochschulreife erwerben. Unsere Lehrgänge werden staatlicherseits individuell finanziell gefördert (z. B. durch BAFÖG oder AFG). Dauer der Ausbildung: 2 Jahre. Fordern Sie kostenl. Prospekte an oder besser, vereinbaren Sie telefonisch einen Termin mit unserem Schulleiter.

Pfalztechnikum
Staatl. anerk. Fachschule für Technik und Chemie
67059 Ludwigshafen · Bgm.-Grünzweig-Str. 65
Telefon 0621/520500 · Telefax 0621/5205055

- Minigruppen für jedes Fach und Einzeltraining
- Grundschule bis Abitur
- Spezialprogramm Mathe
- Probeunterricht möglich
- bundesweit seit 1974, hohe Erfolgsquoten

STUDIENKREIS = Nachhilfe

Trier, Fleischstraße 26, Tel. 0651/19441
Bitburg, Dauner Straße 2a, Tel. 06561/19441
Bernkastel-Kues, Friedrichstraße 3, Tel. 06531/19441
Wittlich, Trierer Straße 17–19, Tel. 06571/19441
Saarburg, Am Fruchtmarkt, Tel. 06581/4457
Daun, Lindenstraße 2, Tel. 06592/7496
Montag bis Freitag, 14 bis 17 Uhr

Am 29. April 1993 von 14 bis 19.30 Uhr INFO-Stand bei „bestkauf", Wuppertalstr. 1 in Bernkastel-Kues

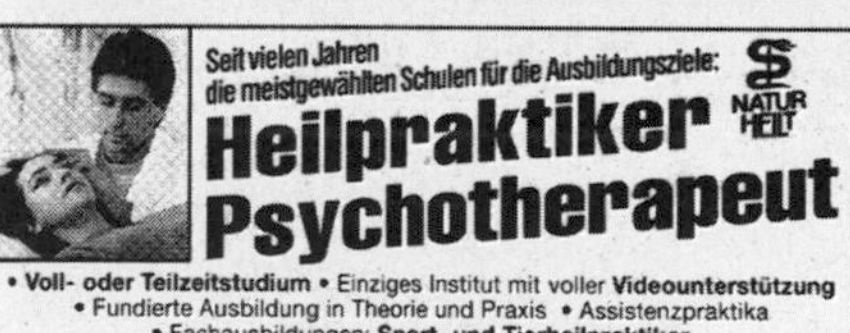

WIRTSCHAFTS-AKADEMIE
Staatl. anerkannte
Erg.-Schule für Wirtschaft, Betriebstechnik und Datenverarbeitung

- **Diplomprüfung** zum **Betriebswirt** (WA Dipl. Inh.) **Wirtschaftsdiplom für Kaufleute,** Techniker, Meister und Abiturienten
- **Staatl. gepr. Betriebswirt** für Kaufleute, zusätzlich Fachhochschulreife möglich, an der staatl. anerkannten Fachschule für Betriebswirtschaft

Beginn: Juli 1993

Prüfungsvorbereitung berufsbegleitend samstags in Verbindung mit der freien Unterrichtseinrichtung

Wirtschaftskolleg
Obere Kyll
in 54584 Jünkerath
Wirtschaftskolleg
Trier Staatl. Beihilfen f. alle Lehrgänge
Hauptverwaltung
66440 Blieskastel/Raintal 1
Telefon 06842/2033

Konzertpianist
erteilt Anfänger- und Fortgeschrittenen-Kurse.
Telefon 0651/62950

HEILPRAKTIKER
Vollzeit- und berufsbegleitende
Ausbildung
Heilpraktiker-Fachschule Saarbrücken
IFH-Privat-Institut für Heilberufe GmbH
Berliner Promenade 19, 66111 Saarbrücken
Telefon 0681/37000 · Fax 0681/36532

ENGLAND SPRACHREISEN
Meine Frau, unser Team und ich betreuen seit 1982 Schüler von 11–19 Jahren in Eastbourne. Kostenlose Unterlagen, auch über USA Sprachferien, ein Schuljahr in Amerika und Sprachreisen für Erwachsene bei **Jürgen Matthes Sprachreisen**, Bahnhofstr. 30, 25524 Itzehoe, ☎ 04821/3085 Fax 61305

Erteile Klavierunterricht. Tel. 75733.

Raum BKS-WIL Nachhilfe in Chemie Oberstufe-Leistungskurs gesucht. Tel. 06531/3760.

Lernstudio Barbarossa, TR, Nachhilfe u. Hausaufgabenbetr. Simeonstr. 23, Tel. 0651/94400.

Lernen mit Spaß und Erfolg im Lernzirkel. Büroz. Mo.-Fr. v. 14-17 Uhr, Trier, Tel. 0651/42984 od. Saarburg, 06581/1001.

Erste-Hilfe-Kurs
Aufgrund vieler Anfragen führt der Malteser-Hilfsdienst (MHD) wieder einen Erste-Hilfe-Kurs durch. Er ist für alle Teilnehmer kostenlos. *Termin: Donnerstag, 29., und Freitag, 30. April, 8.30 bis 16.30 Uhr.* Veranstaltungsort ist die MHD-Geschäftsstelle, Thebäerstraße 44. Die Lehrgangsbescheinigung ist gültig für alle Führerscheinklassen.
Anmeldung unter Tel. 0651/2 50 41-42.

Folkloretanz
Unter dem Motto *Tanzen schafft Lebensfreude* bietet die Familienbildungsstätte, Dietrichstraße 30, einen Folkloretanzkurs für Frauen aller Altersstufen an. Tänze aus Rußland, Griechenland, Rumänien und Israel werden eingeübt.
Kursbeginn ist am Donnerstag, 22. April, 19 Uhr, in der Turnhalle des AMG (Eingang Kuhnenstraße).

Seminar: Schlaf
Für viele Menschen bedeuten Nachtstunden eine Qual: Sie können nicht einschlafen oder wachen auf und verbringen den Rest der Nacht hellwach. In einem Seminar „Schlaf und Schlafstörungen", das die Volkshochschule an sechs Abenden anbietet, soll auf diese Probleme eingegangen werden. Informationen und Anmeldung in der Geschäftsstelle der Volkshochschule.

Computerkurs
In der Volkshochschule der Stadt Trier beginnt am Samstag, 24. April ein Kurs „MS-Windows für Anfänger". Die Leitung des Kurses haben Werner Hardt und Jörg 0. Potthoff.
Anmeldungen nimmt die Geschäftsstelle der Volkshochschule entgegen.

Pannenkurs für Anfänger
Für alle, die kleinere Schäden oder Pannen an ihrem Auto selbst reparieren wollen: Reifen wechseln, Fehler in der elektrischen Anlage suchen, richtiges Abschleppen usw. – ADAC-Geschäftsstelle. Drei Abende 30,– DM.

§ 14, 15

15. Analysieren Sie die Anzeigen.

a) Bei/In ... kann man ...

ein Instrument spielen lernen Betriebswirt werden lernen, wie man Autos repariert
lernen, mit Computern umzugehen eine Ausbildung zum Heilpraktiker machen
Nachhilfe in ... bekommen Englisch lernen die Fachhochschulreife bekommen
Volkstänze lernen einen Erste-Hilfe-Kurs für die Führerscheinprüfung machen
eine finanzielle Förderung bekommen etwas über Schlafstörungen erfahren

b) Welche Angebote bieten …

- berufliche Weiterbildung
- Ausbildung zu einem neuen Beruf?
- schulische Weiterbildung?
- Ideen für ein Hobby?
- eine staatliche Abschlußprüfung?
- Kurse für Kinder/Schüler/Studenten/ältere Leute?

16. Welchen Kurs würden Sie gern besuchen? Warum? Was für Angebote vermissen Sie?

17. Hören Sie die Dialoge und machen Sie Rollenspiele im Kurs.

20-21

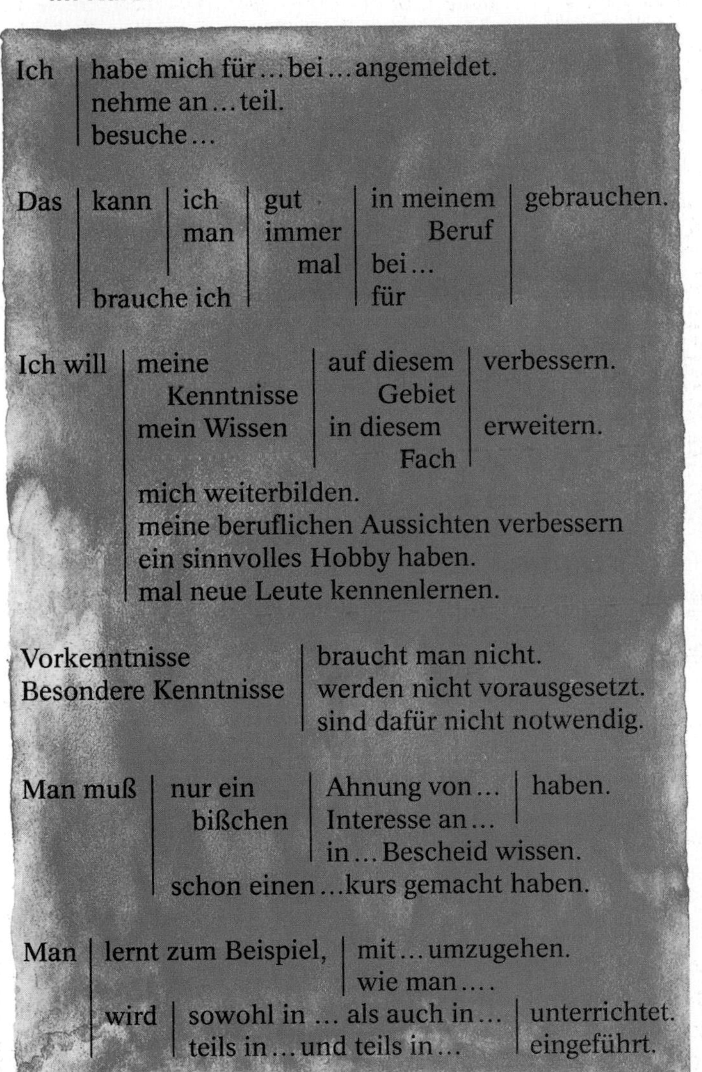
Ich | habe mich für … bei … angemeldet. / nehme an … teil. / besuche …

Das | kann ich / man | gut / immer / mal | in meinem Beruf / bei … / für | gebrauchen.
Das | brauche ich | gut / immer / mal | in meinem Beruf / bei … / für | …

Ich will | meine Kenntnisse / mein Wissen | auf diesem Gebiet / in diesem Fach | verbessern. / erweitern.
Ich will | mich weiterbilden. / meine beruflichen Aussichten verbessern / ein sinnvolles Hobby haben. / mal neue Leute kennenlernen.

Vorkenntnisse / Besondere Kenntnisse | braucht man nicht. / werden nicht vorausgesetzt. / sind dafür nicht notwendig.

Man muß | nur ein bißchen | Ahnung von … / Interesse an … | haben.
Man muß | nur ein bißchen | in … Bescheid wissen.
Man muß | schon einen … kurs gemacht haben.

Man | lernt zum Beispiel, | mit … umzugehen. / wie man … .
Man | wird | sowohl in … als auch in … / teils in … und teils in … | unterrichtet. / eingeführt.

Wie bist du | auf die Idee / darauf | gekommen?

Wozu | machst / brauchst | du das denn?
Was hast du denn davon?

Braucht man | da / dazu | Vorkenntnisse?

Und was | genau wird da gelernt? / macht man da so?

Wie lange dauert der Kurs?
Wie oft findet der Kurs statt?

Ob das auch etwas für mich wäre?
Sind da noch Plätze frei?
Nehmen die noch Anmeldungen an?
Ich glaube, das wäre nichts für mich.

Das rollende Klassenzimmer

Der Arbeitsvertrag überläßt es der Lehrkraft, „die Gestaltung und die Art" des Unterrichts zu bestimmen. Allerdings soll das Pensum „unter Beachtung anerkannter Unterrichtsmethoden" abgewickelt werden. Wo der Unterricht erteilt wird, ist ebenfalls präzise festgelegt: „in einem Abteil des E 3305, 6.39 Uhr, zwischen Landshut und München,".

Diese Vereinbarung wurde jetzt zwischen der Deutschen Bundesbahn und der Münchner Lehrerin Ursula Sabathil getroffen. Die Pädagogin hält von Anfang November an einen „Sprachkurs im Zug" ab – Unterricht für Pendler, die ihre Fahrt zur Arbeitsstelle nutzen wollen, um Italienisch, Französisch oder Spanisch zu lernen. Die Deutsche Bundesbahn hat sich verpflichtet, ein Abteil 1. Klasse zur Verfügung zu stellen und es „als Sprachkursabteil zu kennzeichnen".

Die Idee des rollenden Klassenzimmers stammt von der 35jährigen Oberstudienrätin Ursula Sabathil. Auf ihren Pendelfahrten zum 80 Kilometer entfernten Gymnasium in Mainburg hatte sie darüber nachgedacht, wie sie die Zeit, die sie in der Eisenbahn verbringt, sinnvoll nutzen könnte.

Die Marketing-Leute der Bahn nahmen den Vorschlag gerne an, weil sie sich davon für ihr Unternehmen einen Image-Gewinn versprechen. Das Vorhaben ist als „Pilot-Projekt" aufgebaut und soll zunächst drei Monate laufen.

Daß die Einrichtung tatsächlich auf Interesse stößt, bestätigt eine Umfrage, die im Eilzug zwischen Regensburg und München durchgeführt wurde - eine Strecke, auf der täglich etwa 900 Pendler fahren. Danach zeigten sich gleich 600 der potentiellen Reiseschüler an dem Expreß-Kolleg interessiert, die meisten würden gern Italienisch lernen und wünschen einen Stundenplan, der Montag, Freitag sowie den Feierabend freiläßt. Inzwischen haben sich auch schon „viele hundert arbeitslose Pädagogen" als Zug-Lehrer angeboten, so die Eisenbahnverwaltung.

Mit einer „Studie produktives Reisen" hatte diese schon Anfang des Jahres die Nachfrage ihrer Kundschaft nach weiteren möglichen Einrichtungen erforscht. Angeboten wurden dabei neben Video-, Musik- und Sauna-Waggons auch ein Friseur-Laden und ein „Schweige-Abteil"...

18. Wie finden Sie die Idee mit dem „rollenden Klassenzimmer"? – Überlegen Sie sich weitere Situationen, in denen man vielleicht eine Sprache lernen könnte.

im Urlaub / im Auto / im Flugzeug / am Computer / beim Schlafen / in der U-Bahn / ...

22

19. Anmeldung zur Prüfung

Vor zwei Jahren kam Antonio Vargas als Neunzehnjähriger nach Düsseldorf. An der Volkshochschule hat er Deutsch gelernt. Jetzt möchte er die Zertifikatsprüfung „Deutsch als Fremdsprache" machen.

a) Hören Sie den Dialog.
b) Welche Aussagen sind richtig? Korrigieren Sie die falschen Aussagen.

1. Antonio weiß nicht genau, welche Voraussetzungen er für die Prüfung erfüllen muß.
2. Es gibt pro Jahr einen Prüfungstermin.
3. Die nächste Prüfung findet in einem halben Jahr statt.
4. Es gibt keine besonderen Vorbereitungskurse für die Zertifikatsprüfung.
5. Um sich für die Prüfung anzumelden, muß Antonio ein Antragsformular ausfüllen.
6. Die Gebühr für die Prüfung beträgt 25 DM.
7. Antonio bekommt Bescheid, wann die Prüfung genau stattfindet.

20. Denken Sie über Ihre Deutschkenntnisse nach.

a) Welche Situationen beherrschen Sie auf deutsch? Notieren Sie, wie gut Sie sie beherrschen:

gut [2] nicht so gut [1] gar nicht [0] ich weiß nicht [?] das muß/möchte ich noch lernen [x]

- ❑ meinen Namen und meine Adresse buchstabieren
- ❑ meine Personalien angeben
- ❑ unbekannte Wörter sofort richtig aussprechen
- ❑ mir in einem Restaurant etwas zu essen bestellen
- ❑ nach dem Weg fragen
- ❑ eine Wegbeschreibung geben
- ❑ eine Fahrkarte kaufen
- ❑ ein Hotelzimmer reservieren
- ❑ eine Wohnung oder ein Zimmer mieten
- ❑ einem Arzt erklären, was mir fehlt
- ❑ einer Werkstatt erklären, was an meinem Auto kaputt ist
- ❑ von meiner Familie erzählen
- ❑ über meine Hobbys berichten
- ❑ ein Erlebnis aus meiner Schulzeit erzählen
- ❑ über meinen Arbeitsplatz berichten
- ❑ meine Wohnung beschreiben
- ❑ meinen Tagesablauf beschreiben
- ❑ über die Geschichte, Politik und Geographie meines Landes berichten
- ❑ über das Wetter reden
- ❑ meinen Gastgebern Komplimente für das Essen machen
- ❑ flirten
- ❑ mich am Telefon mit jemandem verabreden
- ❑ eine Einladung höflich ablehnen
- ❑ jemandem zum Geburtstag gratulieren
- ❑ die Bedienung eines Geräts erklären
- ❑ meine Meinung über Umweltprobleme sagen
- ❑ meine Meinung über einen politischen Konflikt sagen
- ❑ den Inhalt meines Lieblingsbuches erzählen
- ❑ ein deutsches Märchen erzählen
- ❑ über Sport diskutieren
- ❑ über meine berufliche Zukunft reden
- ❑ einen kurzen Text mündlich zusammenfassen
- ❑ ein deutsches Formular ausfüllen
- ❑ eine Einladung zu meinem Geburtstag schreiben
- ❑ mich schriftlich für eine Einladung bedanken
- ❑ eine Urlaubskarte schreiben
- ❑ eine Bewerbung für einen Arbeits- oder Ausbildungsplatz schreiben
- ❑ einen einfachen Zeitungsartikel verstehen
- ❑ die Radio-Nachrichten verstehen
- ❑ Micky Maus auf deutsch lesen
- ❑ ein deutsches Gedicht lesen
- ❑ einen deutschen Roman lesen
- ❑ einen deutschen Spielfilm verstehen
- ❑ die Formen der starken Verben konjugieren
- ❑ die Wörter im Satz an den richtigen Ort stellen
- ❑ die Präpositionen mit dem Dativ aufzählen
- ❑ alle Wörter, die bisher in „Themen" vorgekommen sind, in meine Muttersprache übersetzen

b) Wenn Sie es nicht genau wissen: Probieren Sie einige dieser Situationen – eventuell im Rollenspiel – aus.

c) Ergänzen Sie die Liste zusammen mit Ihrem Nachbarn.

d) Überlegen Sie und besprechen Sie im Kurs:
- Was brauchen Sie wahrscheinlich für eine Prüfung?
- Was sollten Sie eventuell wiederholen?
- Wie können Sie diese Dinge am besten üben?

sich gegenseitig Briefe schreiben und verbessern

so oft wie möglich mit Deutschen sprechen

eine Lernkartei / ein Fehlerprotokoll / ein „Lerntagebuch" | anlegen

Lektion ... wiederholen

die Wortliste durcharbeiten

Wörter zu einem bestimmten Thema sammeln

mit einer Freundin / einem Freund | zusammen lernen

...

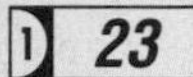

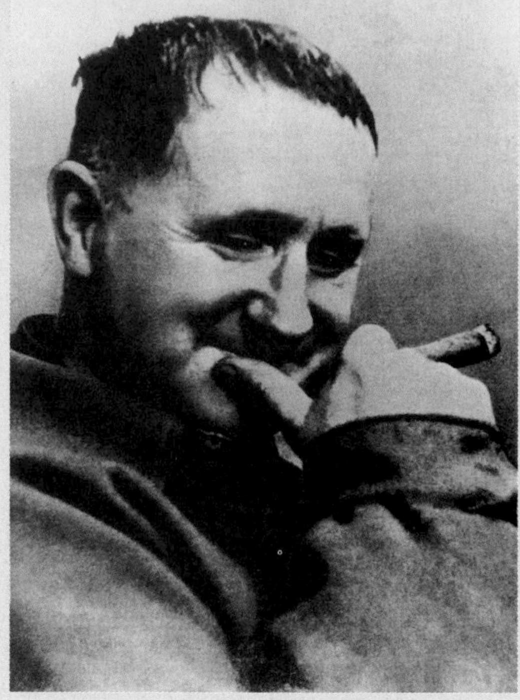

Bertolt Brecht

Ich habe gehört, ihr wollt nichts lernen

Ich habe gehört, ihr wollt nichts lernen.
Daraus entnehme ich: ihr seid Millionäre.
Eure Zukunft ist gesichert – sie liegt
Vor euch im Licht. Eure Eltern
Haben dafür gesorgt, daß eure Füße
An keinen Stein stoßen. Da mußt du
Nichts lernen. So wie du bist
Kannst du bleiben.

Sollte es dann noch Schwierigkeiten geben, da doch die Zeiten
Wie ich gehört habe, unsicher sind
Hast du deine Führer, die dir genau sagen
Was du zu machen hast, damit es euch gut geht.
Sie haben nachgelesen bei denen
Welche die Wahrheiten wissen
Die für alle Zeiten Gültigkeit haben
Und die Rezepte, die immer helfen.

Wo so viele für dich sind
Brauchst du keinen Finger zu rühren.
Freilich, wenn es anders wäre
Müßtest du lernen.

Lektion 5

Geldsorgen?
• wir beraten Sie unverbindlich und persönlich
• auch bei negativer Auskunft vermitteln wir
• schnell, diskret und solide
Rufen Sie uns einfach an, sprechen wir darüber!
☎ 089/94 36 94
Reimerstr. 358, 81829 München
PROfinanz
der Kredit
das Regal
Sonder-angebot
der Kunde
die Kasse
die Scheckkarte
der Obdachlose
der Reiche
der Arme

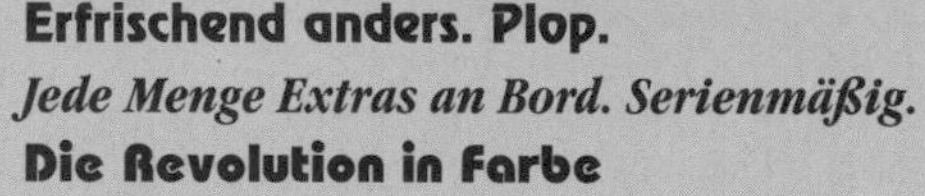

Erfrischend anders. Plop.

Jede Menge Extras an Bord. Serienmäßig.

Die Revolution in Farbe

Nehmen Sie Ihren Friseur mit nach Hause

Stark mit der Stuttgarter

Wir geben Ihrer Zukunft ein Zuhause.

Adrenalin für die Haut

Die neue Verbindung zwischen Natur und Waschen

Gazal. Göttliche Brillen.

Die Technik für mehr Frische.

1. Beschreiben Sie möglichst genau, was auf den Bildern links zu sehen ist. – Für welche Produkte werben die Bilder?

Auf dem Bild unten links ist ein Junge zu sehen, der auf einem Dreirad sitzt. Er trägt eine Sonnenbrille, einen roten Helm und ein blaues ... Das ist wahrscheinlich eine Anzeige für ...

Auf dem Bild kann man einen Jungen sehen.
Auf dem Bild ist ein Junge zu sehen.

Auto Spielzeug Haarfärbemittel Bier Waschmittel Kühlschrank Krawatten After-Shave Lebensversicherung Hut Haarpflegemittel Brillen Bausparkasse

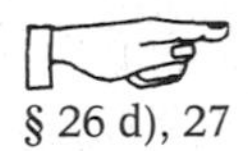

§ 26 d), 27

Auf dem Bild	oben links neben...	ist ... zu sehen, der/die/das...

Ich	nehme an, vermute, kann mir vorstellen, daß das...	das ist...	Das	könnte/dürfte wird muß	 wohl	Werbung eine Anzeige	für ... sein.

Das glaube ich nicht, ich vermute eher... Auf keinen Fall!
Das muß etwas anderes sein! Bestimmt nicht! Nein, das ist bestimmt...

2. Welche Werbesprüche passen zu den Bildern?

3. Welche Werbung verspricht ...

...Erfolg?	...Glück?	...Sicherheit?	...Geschmack?
...Eleganz?	...Qualität?	...ein gutes Gefühl?	...Spaß?
...Schönheit?	...Komfort?	...Umweltverträglichkeit?	...Frische?

§ 3 b)

4. Machen Sie selbst Reklamesprüche zu den Bildern.

5. Hören Sie die Radio-Werbespots.

a) Für welche Produkte wird geworben? Gebäck? Toilettenpapier? Kindertee? Versandhauskatalog? Fruchtsaft? Zoo? Babywindeln? Schlankheitspillen? Obst?

b) Spielen Sie die Szenen im Kurs nach.

1 24-27

6. Erfinden Sie Werbesprüche oder Werbeszenen zu folgenden Produkten:

Auto mit Elektromotor / elektrische Zahnbürste / ein neuer Science-Fiction-Film / das neueste Computer-Modell / ein Bier ohne Alkohol / ...

Die Architektur
des Konsums
Jeder kennt das. Wir gehen in einen Supermarkt und kaufen mehr, als wir eigentlich wollen – angelockt von leuchtenden Obstgebirgen und appetitlichen Fleischtheken und verführt durch die raffiniert ausgedachte Anordnung der Waren.

Supermarkt – eine Welt aus Suppendosenwänden, Milchtütenmauern, Obstgebirgen und piependen Kassen. Eine Welt, die uns immer wieder dazu bringt, mehr zu nehmen, als wir brauchen, etwas anderes zu kaufen, als wir vorhatten, länger zu bleiben als geplant.

Jeder Supermarkt beginnt rechts. Der Mensch ist rechtsorientiert, er fährt rechts, und sein Blick wandert immer zuerst nach rechts. Rechts sind die Regale voll und bunt, rechts zeigt der Supermarkt, was er zu bieten hat.

Gleich nach dem Eingang leuchten Tomaten, glänzen Äpfel, und feldfrisch grünt der Salat. Nach Gemüse und Früchten taucht man ein in das Gängelabyrinth des Supermarktes. Auf der rechten Seite summen meterlange Kühlregale mit Joghurt, Quark und Milch. Im Kopf des Kunden wird unmerklich sein Tagesablauf in Gang gesetzt: früher Morgen, Frühstück – Milch muß sein, aber Kefir und Frischkäse wären auch ganz nett. Und weil die Milch meistens ganz hinten steht, muß sich das Auge des Kunden erst an langen Reihen anderer Molkereiprodukte entlangbewegen. Wie zufällig schimmern dann von der linken Seite Kaffeepakete, Teedosen und Marmeladengläser. Nächste Station ist Brot und Toast – die Komplettausstattung für den Morgen.

Nach einer inneren Landkarte des Kunden ordnen die Psychologen die Warenfolge: Nach dem Morgen der Mittag – also Fleisch, Fisch, Gewürze und Gemüsekonserven. Dann kommt die Abendzone: Wein, Bier, Spirituosen, Salzstangen und Schokolade. Bei allen Warengruppen regiert dieses Prinzip. Die meisten Menschen putzen sich zum Beispiel am Morgen zuerst die Zähne, bevor sie sich waschen – also steht die Zahnpasta vor der Seife.

Der zweite »Focuspunkt Frische«, wie Strategen es nennen, ist die Fleischabteilung. Hier trifft der Kunde zum erstenmal wieder auf Bedienungspersonal, hier kann er fragen und sich beraten lassen. Hier bleibt er stehen. Um Fleisch verlockend aussehen zu lassen, setzen die Supermärkte Licht ein, das eine gesetzlich zugelassene Rotfärbung hat. Möglichst von der linken oder vorderen Seite werden Rindersteaks, Geflügelbeine und Schweinebäuche beleuchtet. »Die Färbung unterstützt nur die natürlichen Farben des Fleisches, und die Linksbeleuchtung schafft für den von rechts kommenden Kunden einen Schatten, der die Ware plastischer macht«, sagt der Psychologe Norbert Wittmann. So wirkt auch ein dünngeschnittenes blaßrosa Schweineschnitzel zunächst wie daumendicke Gourmetware. In vielen Supermärkten schließt sich an die Fleisch- und Wurstabteilung die Käsetheke an. Kaum ein Kunde bemerkt den Übergang vom roten zum gelblichen Licht, das die natürlichen Farben von Gouda und Emmentaler verstärkt.

Nach der Mittagszone folgt ein neues Animationsprogramm. Regalunterbrechungen, Kreuzungen, Sackgassen, Sonderangebote - je mehr der Kunde vor sich sieht, desto häufiger bremst er. Und kauft. Supermarktstrategen haben Fallen aufgestellt: Basislebensmittel wie Mehl, Zucker und Salz liegen links unten. „Das ist Ware zum Suchen, die kann man irgendwo hinstellen", so die Markt-Architekten. Teure Ware wird in Augen- und Griffhöhe ausgestellt, damit der Kunde impulsiv danach greift.

Nach durchschnittlich 20 Minuten landet der Kunde mit vollgepacktem Wagen in der Kassenzone, dem größten Streßfaktor in jedem Supermarkt: Warten und Kinderterror. Viele Märkte hoffen hier auf die kleinen Kunden und stellen Regale mit Kaugummi, Schokolade und manchmal sogar mit Spielzeug in den Weg. Die geschafften Mütter – und noch mehr die Väter – in der Warteschlange geben schnell nach und – schwupps landen ein paar süße Beruhigungsmittel im Einkaufswagen.

Am Ausgang, wenn der Kunde wieder viel mehr eingepackt hat als geplant, ahnt er vielleicht, was die Marktforschung längst weiß: 20 bis 35 Prozent eines Kühlschrankinhaltes wandern – so die »Stiftung Warentest« – unberührt auf den Müll.

7. Was meinen Sie, wo könnten diese Waren im Supermarkt stehen?

Spielzeug Schreibwaren Obst Gemüse Saft
Nudeln Kaffee Tee Nähnadeln Waschpulver
Haushaltsreiniger Käse Süßigkeiten Geschirr
Mehl Werkzeug (Zange, Hammer...) Spielzeug
Kartoffeln Bratenfleisch Tabak / Zigaretten
Zucker Schrauben Zahnpasta Wurst Reis
Tonbänder und Videokassetten haltbare Milch
Nägel Unterwäsche Zwiebeln Schere ...

8. Welche bekannten Verhaltensweisen der Verbraucher spielen bei der Aufstellung der Waren eine Rolle? Welche anderen Tricks werden benutzt, um möglichst viel zu verkaufen?

sich nach rechts orientieren innere Landkarte untere/obere Regalreihe
Farben verstärken impulsiv greifen Licht bremsen Ware zum Suchen
Kaugummi an der Kasse Käse Fleisch Frische Tagesablauf hintereinander ...

9. Schreiben Sie in Gruppen einen kleinen Ratgeber:

„Die 10 goldenen Regeln für den Gang durch den Supermarkt." Vergleichen Sie Ihre Ergebnisse und diskutieren Sie darüber.

Kaufen Nehmen	Sie	nur, nicht nur, nie, nichts,	was... worüber... wofür...

Bleiben Sie...
Schauen Sie...

umtauschen können
planen probieren
sich interessieren
gebrauchen können
sich später ärgern
sich informieren ...

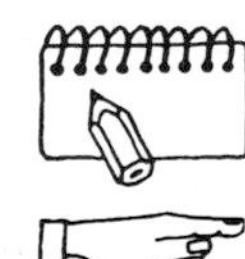

§ 5, 6, 10

10. Wo kaufen Sie am liebsten ein?

Auf dem Markt, Im Fachgeschäft, Im Kaufhaus, Im Supermarkt, Per Katalog von einem Versandhaus, Im Tante-Emma-Laden, In der Ladenstraße in einer Fußgängerzone,	weil... denn... ...nämlich...

zurücklegen lassen große Auswahl Fachleute
billiger Qualität Garantie nicht so viele Leute
zurückschicken, was einem nicht gefällt frisch
sich beraten lassen keine Parkplatzprobleme
passende Ersatzteile Schaufenster ansehen
Markenartikel in Ruhe zu Hause aussuchen
holen, was man schnell braucht gute Beratung
alles unter einem Dach Preise vergleichen
auf Kredit einkaufen gleich um die Ecke ...

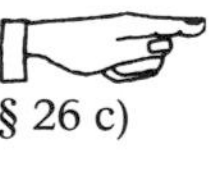

§ 26 c)

11. Diskutieren Sie über die Statistik.

a) Was finden Sie überraschend?

Ich frage mich, wie es kommt,	daß	so viele Leute	...haben.
Ich hätte nicht gedacht,		so wenig Familien	...besitzen.
Ich finde es / Es ist überraschend,		fast alle	Geld für ... ausgeben.
merkwürdig,		kaum Leute	
völlig normal,		nur...	

b) Was scheint für die Deutschen am wichtigsten zu sein, was weniger wichtig?
c) Machen Sie ähnliche Statistiken im Kurs und vergleichen Sie.
d) Wenn Sie es sich leisten könnten – was würden Sie sich als nächstes kaufen? Warum?

12. Fassen Sie die wichtigsten Aussagen des Textes mit Ihren Worten zusammen.

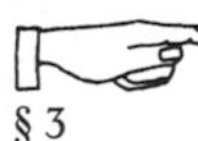

§ 3

Inmitten des Wohlstands

Die Zahl der Reichen wie der Armen wächst

In der Statistik ist nicht alles zu lesen

Die Reichen werden immer reicher, aber gleichzeitig wächst auch die Zahl der Armen. Es gibt immer mehr Obdachlose, die die Mieten in den Großstädten nicht bezahlen können. Aber nur dort haben die Menschen Chancen, einen Gelegenheitsjob zu finden.
Im reichen Deutschland ist die „Armut auf dem Vormarsch", urteilte der Deutsche Gewerkschaftsbund neulich aufgrund der gestiegenen Zahl von Sozialhilfe-Empfängern. In der alten Bundesrepublik sind rund vier Millionen auf die Sozialhilfe angewiesen, um ihren Lebensunterhalt bestreiten zu können. Das ist die eine Seite.

Die andere Seite sieht so aus: Die Arbeitnehmer in der Bundesrepublik haben international beim Einkommen eine Spitzenstellung. Das sagt nicht etwa ein Vertreter der Arbeitgeber, sondern der Vorsitzende des Deutschen Gewerkschaftsbundes, Heinz-Werner Meyer. Auch IG-Metall-Vorstandsmitglied Bleicher kommt zu dem Schluß, zwei Drittel der Bevölkerung hätten einen relativ hohen Lebensstandard, Vermögenswerte und Erbschaften nähmen zu. Und das Statistische Bundesamt hat errechnet: Die Deutschen werden immer reicher.
Armut und Reichtum, das sind gewiß sehr vage Begriffe. Für den Obdachlosen ist der im miesesten Hinterzimmer Wohnende wohl schon ein Reicher. Und der Arme in der Bundesrepublik ist ein Reicher, wenn man seine Situation vergleicht mit den Millionen in der Dritten Welt, die nichts haben und nicht wissen, wie sie den Hunger ihrer Kinder stillen sollen.

Die Reichen in Deutschland ... Die Armen ... Nach der Statistik ... Wenn man die Situation der Armen mit ... vergleicht, dann ...

Das liebe Geld ...

13. Herr Fitzpatrick eröffnet ein Konto

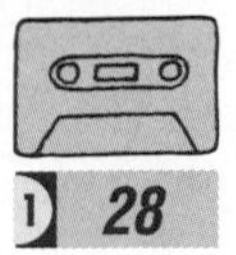

a) Hören Sie das Gespräch.

b) Welche Aussagen stimmen?

1. Herr Fitzpatrick möchte ein Girokonto eröffnen.
2. Er möchte ein Sparkonto eröffnen.
3. Seine Staatsangehörigkeit ist irisch.
4. Er ist Praktikant in Deutschland.
5. Er kriegt jeden Monat eine Überweisung von seinem Vater.
6. Er kriegt ein Stipendium in Höhe von 1300 DM.
7. Er kriegt alle drei Monate einen Euroscheck.
8. Euroschecks sind nur zusammen mit der Scheckkarte gültig.
9. Die Scheckkarte wird sofort für Herrn Fitzpatrick ausgestellt.
10. Er bekommt seine Scheckkarte erst dann, wenn das erste Geld auf seinem Konto ist.
11. Er bekommt Bescheid, wann er die Scheckkarte von der Bank abholen kann.
12. Mit den Euroschecks kann man auch Geld aus dem Automaten bekommen.
13. Für die Geldautomaten braucht man die Scheckkarte.

14. Frau Schachtner braucht Geld

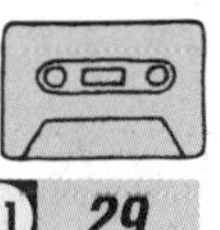

a) Hören Sie das Gespräch.

b) Beantworten Sie die Fragen.

1. Wofür braucht Frau Schachtner einen Kredit?
2. Wieviel verdient sie im Monat netto?
3. Wieviel Prozent Zinsen pro Jahr verlangt die Bank für einen Kredit?
4. Die Bankangestellte schlägt Frau Schachtner zwei Möglichkeiten vor.
   - Wieviel muß sie jeden Monat zurückzahlen, wenn sie den Kredit über 3 Jahre laufen läßt?
   - Wieviel muß sie jeden Monat zurückzahlen, wenn die Laufzeit 4 Jahre beträgt?
5. Welche Kreditform wählt Frau Schachtner?

c) Rechnen Sie aus:

1. Wieviel Geld bleibt ihr monatlich übrig?
2. Sie bekommt 15 000 DM von der Bank; aber welche Summe muß sie tatsächlich zurückzahlen?

d) Was ist Ihre Meinung: Lohnt es sich, soviel Schulden zu machen, um ein neues Auto zu kaufen? – Wofür würden Sie einen Kredit aufnehmen, wenn es nötig wäre?

Hans im Glück

■ Hans hatte sieben Jahre bei seinem Herrn gedient, da sprach er zu ihm: „Herr, ich habe jetzt lange genug gearbeitet, ich will jetzt wieder heim zu meiner Mutter, gebt mir meinen Lohn!" Der Herr antwortete: „Du hast mir treu und ehrlich gedient. Wie deine Arbeit war, so soll dein Lohn sein", und gab ihm ein Stück Gold, das so groß wie der Kopf von Hans war. Hans wickelte das Gold in ein Tuch, setzte es auf seine Schulter und machte sich auf den Weg nach Hause.

■ Wie er so dahinging und immer ein Bein vor das andere setzte, kam ihm ein Reiter in die Augen, der frisch und fröhlich auf einem Pferd vorbeitrabte. „Ach", sprach Hans ganz laut, „was ist das Reiten schön! Da sitzt einer wie auf einem Stuhl, stößt an keinen Stein, macht seine Schuhe nicht kaputt und kommt schnell vorwärts." Der Reiter, der das gehört hatte, hielt an und rief: „Ei, Hans, warum läufst du auch zu Fuß?" – „Ich muß ja wohl", antwortete er, „Wie soll ich sonst mein Gold nach Hause bringen? Es drückt mir auf die Schulter, und ich kann den Kopf nicht geradehalten." – „Weißt du was", sagte der Reiter, „wir wollen tauschen: ich gebe dir mein Pferd, und du gibst mir dein Gold." – „Von Herzen gern", sprach Hans, „aber ich sage Ihnen, es ist sehr schwer." Der Reiter stieg ab, nahm das Gold, half Hans aufs Pferd und sagte: „Wenn du schneller reiten willst, mußt du mit der Zunge schnalzen und hopp hopp rufen."

■ Hans war glücklich, als er auf dem Pferd saß und so frei dahinritt. Nach einiger Zeit wollte er schneller reiten. Er schnalzte mit der Zunge und rief hopp hopp. Das Pferd begann zu galoppieren, und schon war Hans abgeworfen und lag im Gras. Das Pferd wäre davongelaufen, wenn es nicht ein Bauer festgehalten hätte, der ihm entgegenkam und eine Kuh vor sich hertrieb. Hans war enttäuscht und sagte zu dem Bauern: „Das Reiten macht keinen Spaß, vor allem auf einem Pferd wie diesem, das springt und einen herabwirft, daß man sich den Hals brechen kann. Ich setze mich nie wieder auf dieses Pferd! Wie gut hast du es mit der Kuh, da kann einer gemütlich hinterhergehen und hat jeden Tag seine Milch, Butter und Käse. Ach, – hätte ich doch so eine Kuh!" – „Nun", sagte der Bauer, „ich will die Kuh für das Pferd tauschen, wenn du möchtest." Hans sagte sofort ja, und der Bauer sprang aufs Pferd und ritt schnell davon.

■ Hans war glücklich: „Ein Stück Brot finde ich immer; dazu kann ich, so oft ich Lust habe, Butter und Käse essen. Wenn ich Durst habe, melke ich die Kuh und trinke Milch. Was will ich noch mehr?" In einer Wirtschaft aß Hans in der großen Freude alles, was er bei sich hatte, und trank für sein letztes Geld ein Glas Bier. Dann ging er weiter, immer nach dem Dorfe seiner Mutter zu. Es war sehr heiß, so daß ihm die Zunge im Munde klebte. »Ganz einfach«, dachte Hans, »jetzt will ich meine Kuh melken und die Milch trinken.« Er band sie an einen dünnen Baum, und weil er keinen Eimer hatte, so stellte er seine Ledermütze drunter; aber was er auch tat, es kam kein Tropfen Milch. Und weil er es so dumm machte, gab ihm das ungeduldige Tier endlich mit einem der Hinterfüße einen solchen Schlag vor den Kopf, daß er zu Boden taumelte und eine Zeitlang nicht wußte, wo er war. Glücklicherweise kam da ein Metzger mit einem jungen Schwein. „Was ist denn passiert?" fragte er und half dem guten Hans. Hans erzählte alles. Der Metzger gab ihm seine Flasche und sagte: „Da, trink einmal, das tut gut! Die Kuh will wohl keine Milch geben, das ist ein altes Tier, das höchstens noch zum Ziehen oder zum Schlachten zu gebrauchen ist." „Ei, ei", sprach Hans und strich sich die Haare über den Kopf, „aber ich esse nicht gern Kuhfleisch, es ist mir nicht saftig genug. Ja, wer so ein junges Schwein hat! Das schmeckt anders, und vor allem die Würste!" –

■ „Hör mal, Hans", sagte der Metzger, „ich will mit dir tauschen und will dir das Schwein für die Kuh geben." Hans freute sich, ging weiter und dachte darüber nach, wie alles nach seinem Wunsch ging: Immer dann, wenn etwas Unangenehmes passierte,

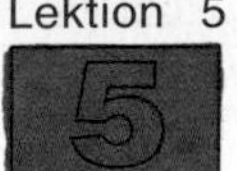

hatte er gleich darauf Glück und war alles wieder in Ordnung.

■ Bald traf er einen jungen Mann, der eine schöne, weiße Gans unter dem Arm trug. Hans erzählte ihm von seinem Glück und wie er immer so vorteilhaft getauscht hätte. Der junge Mann schaute sich nach allen Seiten um und sagte: „Mit dem Schwein ist, denke ich, nicht alles in Ordnung. In dem Dorf, durch das ich gekommen bin, ist vorhin dem Bürgermeister eins gestohlen worden. Ich fürchte, ich fürchte, du hast es da in der Hand. Überall suchen Leute das Schwein; wenn sie dich erwischen ...“ Der gute Hans bekam einen Schrecken. „Ach Gott, hilf mir“, sprach er, „nimm mein Schwein und gib mir die Gans, denn du kennst hier die Gegend besser als ich.“ „Na gut“, sagte der junge Mann, „ganz ungefährlich ist es nicht, was ich mache, aber ich will auch nicht, daß dir ein Unglück geschieht.“ Er nahm also das Schwein; Hans war wieder alle Sorgen los und ging mit der Gans unterm Arm der Heimat zu. „Das war wieder Glück“ sagte Hans, „das gibt einen guten Braten, dazu eine Menge Fett, und nicht zu vergessen die schönen weißen Federn für mein Kopfkissen. Was wird meine Mutter für eine Freude haben!“

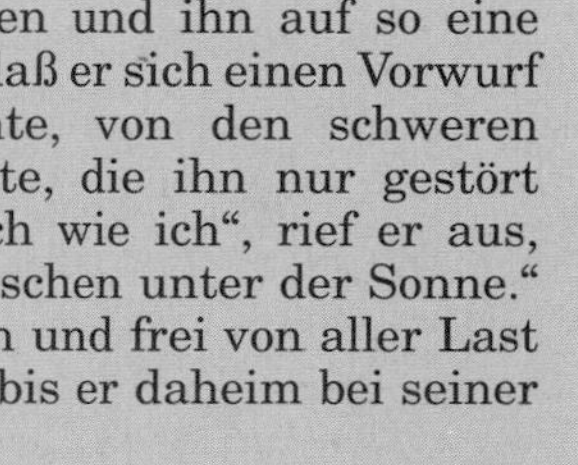

■ Als er durchs letzte Dorf gekommen war, stand da ein Scherenschleifer, sein Rad drehte sich, und er sang dazu.

■ Hans blieb stehen und sah ihm zu; schließlich sagte er: „Dir geht's wohl gut, weil du so lustig bist.“ – „Ja“, antwortete der Scherenschleifer, „mir geht es gut; ein Scherenschleifer ist ein Mann, der, so oft er in die Tasche greift, auch Geld darin findet. Aber wo hast du die schöne Gans gekauft?“ Hans erzählte ihm die ganze Geschichte. „Du kannst das Geld in deiner Tasche springen hören und ein glücklicher Mensch werden“, sagte der Schleifer. „Wie soll ich das anfangen?“, sprach Hans. „Du mußt ein Schleifer werden, wie ich; dazu brauchst du nur einen Schleifstein, das andere findet sich von selbst. Da habe ich einen, der ist zwar ein bißchen kaputt, dafür brauchst du mir aber auch nur die Gans zu geben. Willst du das?“ – „Wie kannst du noch fragen“, antwortete Hans, „ich werde ja zum glücklichsten Menschen auf Erden; habe ich Geld, so oft ich in die Tasche greife, was brauche ich mir da länger Sorgen zu machen?“, gab ihm die Gans und nahm den Schleifstein. „Nun“, sprach der Schleifer und hob einen gewöhnlichen Stein, der neben ihm lag, auf, „da hast du noch einen großen Stein dazu; mit dem kannst du alte Nägel geradeklopfen. Verlier ihn nicht!“ Hans nahm den Stein und ging fröhlich weiter; seine Augen leuchteten vor Freude. „Ich muß ein Glückskind sein,“ rief er, „alles, was ich wünsche, geschieht auch, wie bei einem Sonntagskind.“

■ Langsam wurde Hans müde, und er bekam Hunger. Nur mit Mühe konnte er weitergehen und mußte jeden Augenblick haltmachen; dabei drückten ihn die Steine ganz furchtbar. Da dachte er, wie gut es wäre, wenn er sie nicht tragen müßte. An einem Brunnen wollte er Wasser trinken. Um die Steine nicht zu beschädigen, legte er sie vorsichtig neben sich auf den Rand des Brunnens. Als er trinken wollte, stieß er gegen die beiden Steine, und sie fielen ins Wasser. Als Hans sie in der Tiefe versinken sah, sprang er vor Freude auf, kniete dann nieder und dankte Gott mit Tränen in den Augen, daß er ihm auch diese Gnade noch erwiesen und ihn auf so eine gute Art und ohne, daß er sich einen Vorwurf zu machen brauchte, von den schweren Steinen befreit hätte, die ihn nur gestört hatten. „So glücklich wie ich“, rief er aus, „gibt es keinen Menschen unter der Sonne.“ Mit leichtem Herzen und frei von aller Last sprang er nun fort, bis er daheim bei seiner Mutter war.

15. In welcher Reihenfolge besaß Hans diese Dinge, und was gefiel ihm daran nicht?

a) Schleifstein – Gold – Schwein – Kuh – Gans – Pferd

b) Der Schleifstein …
Das Gold …
Das Schwein …
Die Kuh …
Das Pferd …

… drückte ihm auf die Schulter	… war angeblich gestohlen
… drückte ihn ganz furchtbar	… war ihm zu schwer
… gab keine Milch	… wäre beinahe weggelaufen
… hatte kein saftiges Fleisch	… warf Hans ab
… trat ihm an den Kopf	

Konjunktiv
Situation: Gegenwart – „jetzt"
Wenn ich eine Kuh hätte, hätte ich Milch.
Situation: Vergangenheit – „damals"
Wenn ich eine Kuh gehabt hätte, hätte ich Milch gehabt.

16. Ergänzen Sie die Sätze. Finden Sie selbst weitere Beispiele.

Wenn	Hans er	…	behalten hätte, nicht getauscht hätte, nicht verloren hätte, nicht weggegeben hätte,	dann	hätte er … wäre er …

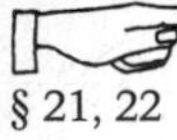
§ 21, 22

… angeblich ein glücklicher Mensch werden	… immer Milch, Butter und Käse haben
… eine Menge Fett bekommen	… immer reiten können
… einen guten Braten machen können	… nicht mehr zu Fuß gehen brauchen
… Federn für sein Kopfkissen haben	… saftiges Fleisch haben
… für andere Leute Scheren und Messer schleifen können	… schnell vorwärts kommen
… immer Geld in der Tasche haben	… Würste essen können
	…

17. Was hätten Sie an Hans' Stelle getan?

Wenn ich so ein großes Stück Gold gekriegt hätte, dann hätte ich …

An seiner Stelle wäre ich …, wenn ich … gehabt hätte.

18. Halten Sie Hans für dumm? – Diskutieren Sie.

Er hat zwar keinen Besitz, aber er fühlt sich glücklich!
Einerseits ist er vielleicht etwas naiv, aber andererseits ist er ein freier Mensch.
Für ihn ist es viel wichtiger, daß er …

Wie kann man glücklich sein, wenn man gar nichts hat?
Der merkt ja gar nicht, daß die anderen ihn nur betrügen!
Wie soll er denn jetzt weiterleben?

19. Machen Sie ein Rollenspiel: Hans kommt zu seiner Mutter zurück …

Sammeln Sie zuerst Sätze, Wendungen und Wörter. Arbeiten Sie zu zweit.

20. Vertreterbesuch an der Haustür

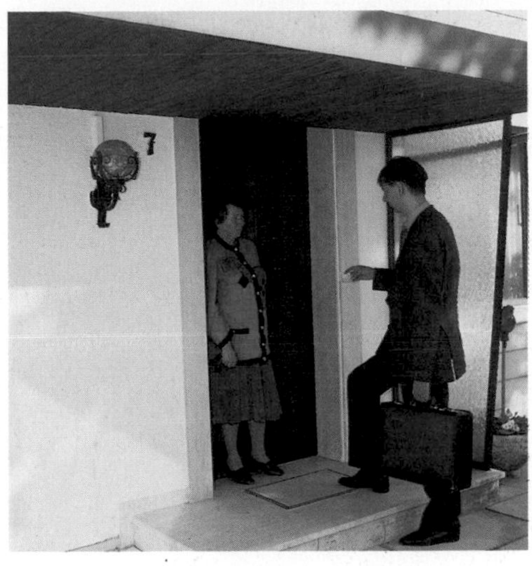

Haben Sie das schon mal erlebt? Es klingelt an der Haustür, Sie machen auf, und schon steht er mitten in der Wohnung: der Vertreter. Er will Ihnen eine Versicherung, einen Staubsauger oder eine Zahnbürste verkaufen. Und Sie? Wie reagieren Sie? Hören Sie erst mal zu (er könnte ja etwas Interessantes für Sie haben), oder werfen Sie ihn hinaus?

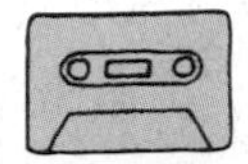

30

a) Hören Sie zunächst ein Beispiel auf Kassette. Machen Sie sich Notizen: Was will der Vertreter verkaufen? Welche Argumente benutzt er? Wie reagiert die Kundin? Welche Argumente benutzt sie?

b) Bereiten Sie in kleinen Gruppen die Rolle des Vertreters und die des Kunden vor. Spielen Sie dann die Situation.

Vorbereitung der Vertreter

- Was wollen Sie verkaufen? Staubsauger, Zeitungsabonnement, Seife, Haarwaschmittel, Mitgliedschaft in einem Buchclub, Rasierklingen, Knöpfe, Kämme, Kleiderbügel, Handtücher, Teppiche, Zahnbürsten, ...
- Sammeln Sie Argumente für den Kauf.
- Überlegen Sie, was Sie tun sollten und was Sie nicht tun sollten.

Sie haben doch sicher ...,
dann brauchen Sie auch ...
Möchten Sie nicht auch ... besitzen?
Ihr(e) Nachbar(in) hat auch schon ...
So ein ... bekommen Sie nirgends billiger!
Denken Sie doch mal daran, daß/wie ...
Darauf haben Sie ... Monate Garantie.
... kommt aus der Weltraumforschung.
Dann haben Sie viel mehr Zeit für/zum ...
Sie können in bequemen Raten zahlen.
Das Allerneueste!
Eine einmalige Gelegenheit!
Sie sparen eine Menge Geld!

Vorbereitung der Kunden

- Sammeln Sie Argumente gegen einen Kauf an der Haustür.
- Was tun Sie, wenn der Vertreter einfach nicht gehen will?
- Wen könnten Sie eventuell zu Hilfe holen? (Mann, Frau, Nachbar, Nachbarin, Polizei ...)
- Falls Sie doch etwas kaufen wollen, wie können Sie über den Preis diskutieren?

... brauche ich nicht.
... habe ich schon.
Für sowas habe ich keinen Bedarf.
Ich habe überhaupt kein Bargeld da.
Ich kaufe grundsätzlich nichts an der Tür.
Ich bin in Eile.
Tut mir leid, ich habe keine Zeit.
Darüber muß ich erst mit ... sprechen.
Soll ich vielleicht die Polizei rufen?
Bleiben Sie lieber draußen; wir haben alle die Masern!
Reden Sie ruhig weiter; ich kaufe doch nichts.

Konsumgerechtigkeit

Vorsicht Satire!

Die zwei Männer kamen abends nach sieben. Ich saß gerade beim dritten Bier vor dem Fernseher und schaute mir die Werbung an.
Die Herren zeigten ihre Ausweise: zwei Kontrolleure vom Verband für konsumgerechtes Verhalten. „Sie fahren kein Auto", begann der eine.
„Schon seit fast einem Jahr", antwortete ich.
„Obwohl Sie sich einen Wagen leisten könnten", meinte der andere.
„Ich will keinen Wagen mehr. Im Stadtverkehr lohnt es sich nicht. In Urlaub fahre ich mit der Bahn, oder ich fliege."
„Sie erlauben sich einen Konsumverzicht, der für unsere Gesellschaft gefährlich werden kann."
„Ist das verboten?"
„Noch nicht", antwortete einer der beiden Besucher. „Aber wenn Ihr Beispiel Schule macht, werden wir bald ein entsprechendes Gesetz haben. Sie schädigen nämlich den Staat. Er verliert jährlich ein paar tausend Mark an Kraftfahrzeug-, Benzin-, Ölsteuer und so weiter."
„Vor allem aber schaden Sie unserer Wirtschaft", fügte der andere hinzu. „Es ist wie eine Kettenreaktion: Die Autofabriken verdienen nichts, der Händler hat Verluste. Sie kaufen kein Benzin, lassen keine Reparaturen ausführen, brauchen keine Winterreifen, kein Zubehör."
„Aber dafür gebe ich doch anderweitig Geld aus: Ich fahre öfters Taxi, trinke mehr Alkohol."
„Das sind keine Argumente. Ein Mann mit Ihrem Einkommen hat einen Wagen zu fahren."
„Und wie ist es mit dem Umweltschutz?"
„Das lassen Sie mal unsere Sorge sein. Verhalten Sie sich lieber etwas vorsichtiger: Wir haben uns in Ihrer Stammkneipe erkundigt. Sie propagieren den Konsumverzicht in aller Öffentlichkeit."
„Das ist ja ..."
„Jeder siebte Erwerbstätige in unserem Land", unterbrach mich einer der beiden Kontrolleure, „lebt von der Automobilindustrie. Leute wie Sie sind dabei, unsere Gesellschaftsordnung zu zerstören."
Der Mann griff in seine Aktentasche, holte einige Prospekte heraus, legte sie auf den Tisch. „Dies sind ein paar Angebote", sagte er. „Die neuesten Modelle. Unverbindlich. Aber Sie sollten sich gut überlegen, was Sie machen. Unser Verband läßt nicht mit sich spaßen."
„Mittelklassewagen", befahl sein Kollege. „Sie sind der Typ für einen Mittelklassewagen. Wir werden uns gelegentlich erkundigen. Auf Wiedersehen."
Als die beiden draußen waren, merkte ich, daß ich zitterte. „Was wollten die denn?", fragte Uschi aus der Küche. „Sie haben uns erwischt", antwortete ich. „Zwei Kontrolleure vom Verband für konsumgerechtes Verhalten."
„Das mußte ja kommen", meinte Uschi. „Du mit deinem Konsumverzichtsfimmel. Sie halten dich sicher für einen Extremisten. Du stehst bestimmt schon auf der Liste."
„Sie haben Prospekte dagelassen."
„Gott sei Dank", sagte Uschi. „Dann hast du ja noch eine Chance."

Hans Gebhardt

Lektion 6

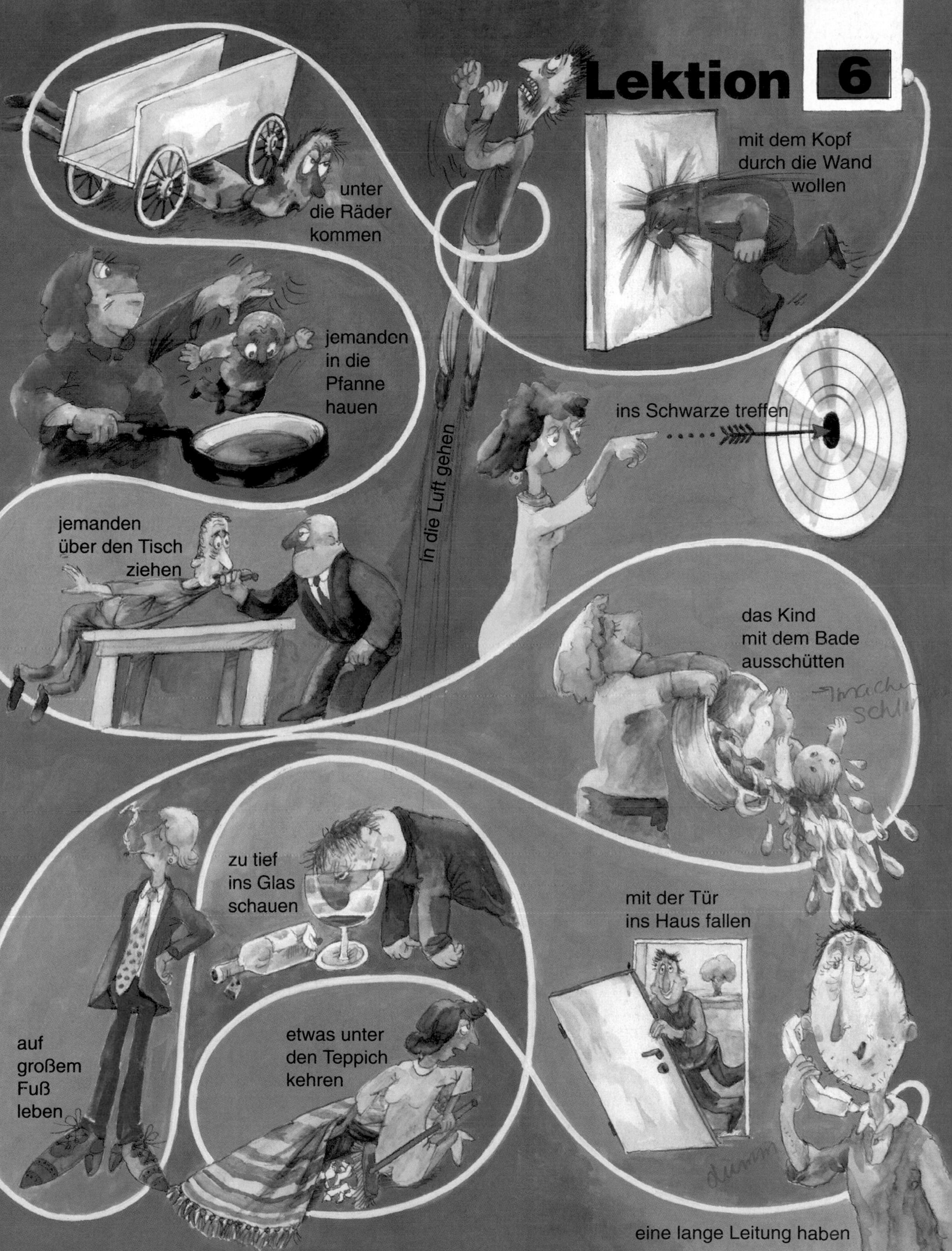
mit dem Kopf durch die Wand wollen
unter die Räder kommen
in die Luft gehen
jemanden in die Pfanne hauen
ins Schwarze treffen
jemanden über den Tisch ziehen
das Kind mit dem Bade ausschütten
zu tief ins Glas schauen
mit der Tür ins Haus fallen
auf großem Fuß leben
etwas unter den Teppich kehren
eine lange Leitung haben

Förmliche Gespräche

2 1-7

1. Hören Sie die Dialoge.

a) Welche Bilder passen zu welcher Situation?

b) In welchen Situationen tun die Leute das?

	Situation Nr. …		Situation Nr. …
jemanden zum Abendessen einladen	☐	sich anmelden	☐
sich verabschieden	☐	sich verabreden	☐
sich vorstellen	☐	einen Bekannten begrüßen	☐
einen Dritten vorstellen	☐	einen Fremden ansprechen	☐
jemanden zu einem Drink einladen	☐	jemanden empfangen	☐
mit einem Getränk anstoßen	☐	sich zu einem Fremden an den Tisch setzen.	☐
		jemanden am Telefon verbinden	☐

2. Spielen Sie die folgenden Situationen.

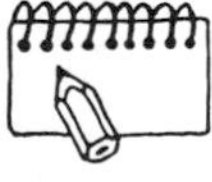

Bereiten Sie sie mit Ihrem Nachbarn vor. Sie können die Redemittel auf Seite 69 benutzen. Legen Sie vorher Personen, Ort und Umstände fest, und vergleichen Sie Ihre Dialoge im Kurs.

Stellen Sie sich vor!
Beginnen Sie ein Gespräch!
Empfangen Sie Ihren Gast!
Laden Sie jemanden ein!
Stellen Sie einen Dritten vor!

Fragen Sie nach einem freien Platz im Café!
Fragen Sie am Telefon nach jemandem!
Fragen Sie, ob Sie rauchen dürfen!
Melden Sie sich in einem Büro an!
Zeigen Sie, daß Sie einen Plan auch gut finden!

Am Telefon

Hier…	Kann ich bitte mit	Herrn	…sprechen?	Einen Moment bitte,
Hallo, hier…		Frau		ich verbinde.

Im Vorzimmer

Ich habe um vier einen Termin mit	Herrn	…	…erwartet	seinem	Büro.
	Frau		Sie in	ihrem	

Sich dazusetzen
Entschuldigung, ist hier noch frei?

Jemanden willkommen heißen
Herzlich willkommen!
Nehmen Sie doch Platz!

Vorstellen
Darf ich mich vorstellen? Mein Name ist… — Sehr angenehm.
Darf ich Ihnen bei dieser Gelegenheit… vorstellen? — Freut mich, Sie kennenzulernen.

Besorgnis äußern
Entschuldigen Sie, wenn ich stören sollte. — Nein, Sie stören überhaupt nicht.
Im Gegenteil, ich freue mich, daß Sie anrufen.

Um Erlaubnis bitten

Gestatten	Sie, daß ich rauche?	Bitte sehr!
Erlauben		

Gespräch eröffnen
Weshalb ich Sie anspreche:…
Was ich schon immer fragen wollte:…

Einverständnis ausdrücken
Das würde ich auch sehr begrüßen.
Das fände ich sehr gut. / nett.
Fein. Das freut mich.

Termin ausmachen
Hätten Sie morgen um zehn Uhr Zeit? — Das paßt sehr gut.
Wie wäre es denn um vierzehn Uhr? — Dann bin ich also um vier bei Ihnen im Büro.
Kommen Sie doch bitte um neunzehn Uhr dreißig. — Da habe ich schon einen Termin.
Das geht leider nicht.

Einladen

Darf ich	Sie	für morgen abend	zum Essen	einladen?	Ja, gern.
	Sie und…	…	zu…		Danke, sehr gern.

Ich würde mich sehr darüber freuen.

Teures „Du“

Nürnberg (dpa) ***„Armes Deutschland“, stöhnte die Nürnberger Marktfrau vor dem Einzelrichter, von dem sie wegen Beleidigung zu 2250 Mark Geldstrafe „verdonnert“ worden war. „Frau Gunda“ hatte einen Polizeihauptkommissar „hartnäckig geduzt, obwohl dieser es sich verbat“.***

Besagte Marktfrau gilt in Nürnberg als Original – nicht nur wegen ihrer marktbeherrschenden Figur. Sie stand schon einige Male vor den Schranken des Gerichts, wegen Beleidigung. In diesem speziellen Fall hatte die nahe Rathauswache verfügt, daß zwei Tische der Frau Gunda „wegmüssen“. Sie will den Hauptkommissar allerdings höflich per „Sie“ gefragt haben, ob er diese Anordnungen getroffen habe. Als dieser das bejahte, habe sie erklärt: „Das hast du nicht zu bestimmen.“

Der Wachleiter verbat sich zwar das „Du“, die Marktfrau jedoch war nicht zu bremsen: „Das wird doch keine Beleidigung sein, zum Herrgott sagt man du, deshalb sage ich zu dir auch du.“

Frau Gunda versicherte, das „Du“ sei nicht böse gemeint. Sie stamme vom Land, da sage jeder zu jedem du.

Der Richter hatte für die Argumente der Marktfrau kein Verständnis: Für Mitteleuropäer sei ungewolltes Duzen ehrenrührig. Es beeinträchtige das Persönlichkeitsrecht. Da die Marktfrau Angaben über ihr Einkommen nicht machte, wurde sie geschätzt. Der Richter verhängte darauf fünfzehn Tagessätze mal 150 Mark, zusammen 2250 Mark.

3. Wie sind diese Sätze im Text ausgedrückt?

§ 19

Indikativ	**Konjunktiv I**
er/sie hat	er/sie habe
er/sie ist	er/sie sei
er/sie sagt	er/sie sage

a) Die Marktfrau war angeklagt, weil sie zu einem Polizeihauptkommissar dauernd „Du“ gesagt habe.
b) Der Polizeikommissar hatte befohlen, daß zwei Tische der Marktfrau wegmüßten.
c) Sie behauptet, sie habe den Polizeikommissar höflich gefragt: „Haben Sie diese Anordnungen getroffen?“
d) Sie hat erklärt, daß er das nicht zu bestimmen habe.
e) Sie versicherte: „Das ‚Du‘ ist nicht böse gemeint. Ich stamme vom Land, da sagt jeder zu jedem du.“
f) Der Richter behauptete: „Für Mitteleuropäer ist ungewolltes Duzen eine Beleidigung. Es beeinträchtigt das Persönlichkeitsrecht.“

4. Wer hat was gesagt?

Die Marktfrau hat gesagt, auf dem Land sage jeder zu jedem „du“.

Der Richter ...

Auf dem Land sagt jeder zu jedem „du“.	Ich verurteile Sie zu einer Geldstrafe von fünfzehn Tagessätzen.
Das ist keine Beleidigung.	Zum Hergott sagt man auch "du“.
Das macht zusammen 2250 Mark.	Für Mitteleuropäer ist ungewolltes Duzen eine Beleidigung.
Diese Anordnung kommt von mir.	Ungewolltes Duzen beeinträchtigt das Persönlichkeitsrecht.
Das hast du nicht zu bestimmen	Ich habe diese Anordnung getroffen.
Ich habe für diese Argumente kein Verständnis.	Ich will wissen, wer diese Anordnung getroffen hat.
Das ist nicht böse gemeint.	
Sie müssen zwei Ihrer Tische wegräumen.	
Ich verbitte mir das „Du“.	
Ich stamme vom Land.	

Zehn Leitlinien für das Duzen

1. Wenn man befreundet oder gut miteinander bekannt ist, sagt man Du zueinander, d.h. man duzt sich.
2. Alle anderen sagen Sie zueinander, d.h. sie siezen sich.
3. Nicht jeder kann das Du anbieten. Der Ältere bietet dem Jüngeren und die Frau dem Mann das Du zuerst an: „Wollen wir nicht Du sagen?“
4. Wenn man das Du anbietet, muß man viel Taktgefühl haben, denn man kann das Du nicht ohne weiteres ablehnen.
5. Gewöhnlich stößt man mit einem Glas Wein an, sagt danach Du zueinander und benutzt den Vornamen des anderen.
6. Wenn man sich einmal duzt, kann man schwer zum Sie zurückkehren.
7. Wenn man das Du einmal vergessen hat, sollte man sich entschuldigen: „Entschuldige, daß ich wieder Sie gesagt habe. Ich muß mich erst an das Du gewöhnen!“
8. Wenn man einen Fremden duzt, wird das als Beleidigung empfunden.
9. Wenn Schüler 16 Jahre alt sind, werden sie von den Lehrern gesiezt. Oft bleibt es aber beim Du, wenn die Schüler es erlauben.
10. Unter Schülern, Studenten, Arbeitern und Angehörigen bestimmter Berufsgruppen gilt normalerweise das Du. Das Siezen kann hier mißverstanden werden.

5. Vergleichen Sie diese Leitlinien mit der Situation in Ihrem Land. Was ist gleich, was ist anders?

Bei uns gibt es keinen Unterschied zwischen „Du“ und „Sie“, aber man …

Schüler werden bei uns in jedem Alter gesiezt, allerdings …

6. Hören Sie fünf Dialoge und schätzen Sie die Beziehung der Gesprächspartner ein.

2) 8-12

Dialog	1	2	3	4	5
gut befreundet					
bekannt					
fremd					

Wie ist die Art der Beziehung zu erkennen?

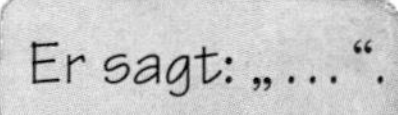

Sie benutzt die Worte: „… “.

7. Wie empfinden Sie die folgenden Äußerungen?

◡ = höflich, – = formlos/neutral, ◠ = unhöflich

- ☐ Mach das Radio leiser!
- ☐ Kannst Du mal das Radio leiser drehen?
- ☐ Würde es Dir etwas ausmachen, das Radio ein bißchen leiser zu stellen?

- ☐ Dürfte ich bitte mal das Salz haben?
- ☐ Das Salz!
- ☐ Ich brauche mal das Salz.

- ☐ Machen Sie mal eben die Tür zu?
- ☐ Wären Sie mal so freundlich, die Tür zu schließen?
- ☐ Tür zu!

Ilse und Walter Kuhn
Gabrielenstraße 2
80637 München
Tel. 089 / 18 62 64

München, den 23. 3. 94

Hotel Falkenhorst
Familie Eder
I-39020 Rabland / Meran

Anfrage
Ihre Anzeige in der „Frankfurter Allgemeinen" vom 20. 3. 94

Sehr geehrte Damen und Herren,

wir beziehen uns auf Ihr oben genanntes Angebot, das uns sehr interessiert, denn wir möchten unseren Urlaub diesmal gern in Südtirol verbringen.
Wir möchten Sie darum bitten, uns Ihren Prospekt zuzuschicken, damit wir uns noch näher informieren können.

Wir bedanken uns schon im voraus.

Mit freundlichen Grüßen
Ilse Kuhn

Hotel Falkenhorst

Rabland, den 26. 3. 94

I-39020 Rabland bei Meran
Tel. 0039-473-170900

Herrn und Frau Kuhn
Gabrielenstraße 2
80637 München

Ihre Anfrage
Ihr Schreiben vom 23. 3. 1994

Sehr geehrte Frau Kuhn,
sehr geehrter Herr Kuhn,

wir bedanken uns sehr für Ihr Interesse an unserem Haus.

Anbei schicken wir Ihnen unseren ausführlichen Prospekt.
Wenn Sie sich für uns entscheiden sollten, bitten wir um eine frühzeitige Reservierung, da unser Haus im August meist ausgebucht ist.
Wir würden uns sehr freuen, Sie bei uns begrüßen zu können.

Wenn Sie noch Fragen haben sollten, stehen wir Ihnen jederzeit zur Verfügung.

Mit freundlichen Grüßen
Alois Eder
Alois Eder

Anlage: Prospekt

Südtirol – Ein Traum in jeder Jahreszeit

– Halbpension ab DM 70,–
– Kinderermäßigung bis 80%
– auch Ferienwohnungen
– ruhige, sonnige Lage
– Komfortzimmer mit Radio, Telefon, TV
– Solarium, röm. Dampfbad, Freibad
– herrliches Wanderparadies
– Bitte Prospekt anfordern

*****Hotel Falkenhorst**
Fam. Eder
I-39020 Rabland/Meran
Tel. 0039-473/170900
Fax 0039-473/170908

8. Bringen Sie die Briefteile in die richtige Reihenfolge. Finden Sie dann in beiden Briefen die verschiedenen Briefteile.

Unterschrift
Absender
Thema
Schluß
Einleitung
Datum
Gruß
Anlagevermerk
Haupttext
Anrede
Empfänger
Bezug
Ort

Die Sprache in Briefen

	an gute Freunde	an Bekannte	an Behörden / Firmen
	einen Brief beginnen		
Betreffzeile			Ihre Mitteilung / Ihr Schreiben vom …
Anrede	Liebe Anna, Lieber Hans,	Lieber Herr Bauer, Liebe Frau Böhm,	Sehr geehrte Damen und Herren, Sehr geehrter Herr Ott, Sehr geehrte Frau Dr. Ohm,
Einleitung	ganz herzlichen Dank für Deinen Brief. Ich habe mich darüber sehr gefreut.	vielen Dank für Ihren Brief vom … / nach unserem heutigen Telefongespräch möchte ich …	
Entschuldigung	Es tut mir leid, daß Du so lange auf eine Antwort warten mußtest, aber …	Bitte entschuldigen Sie, daß ich Ihnen nicht früher geantwortet habe, aber …	
	einen Brief beenden		
Schluß	So, das wär's für heute. Jetzt muß ich Schluß machen.		Ich denke, daß damit alle Fragen geklärt sind.
Dank	Nochmals vielen Dank für …		Ich möchte mich für Ihre Mühe bedanken.
Wunsch	Hoffentlich sehen wir uns bald wieder. Laß mich nicht zu lange auf eine Antwort warten. Mach's gut!	Ich würde mich freuen,	bald wieder von Ihnen zu hören. …
Gruß an andere	Grüß Anna ganz herzlich von mir.	Herzliche Grüße an Ihre/Ihren …	
Gruß	Mit herzlichen Grüßen	Mit freundlichen Grüßen	
Unterschrift	Dein Hans Deine Anna	Ihr Hans Meier Ihre Anna Schulz	Hans Meier Anna Schulz

9. In welche Rubrik gehören die folgenden Sätze?

Anrede
Einleitung
Entschuldigung
Schluß
Dank
Wunsch
Gruß an andere
Gruß
Unterschrift

Bitte lassen Sie es mich wissen, wenn Sie noch Fragen haben sollten.

Lassen Sie mich noch einmal zusammenfassen, was wir heute vormittag besprochen haben

Einen dicken Kuß schickt Dir…

Dein Brief ist gestern bei mir angekommen.

Hallo Nina!

Das ist alles, was ich Dir zu sagen hatte.

Leider konnte ich Ihr Schreiben vom 23.1. nicht früher beantworten, weil…

Für Deine Prüfung wünsche ich Dir schon jetzt alles Gute!

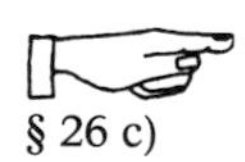
§ 26 c)

3 Ein Brief an eine Freundin

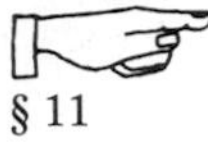
§ 11

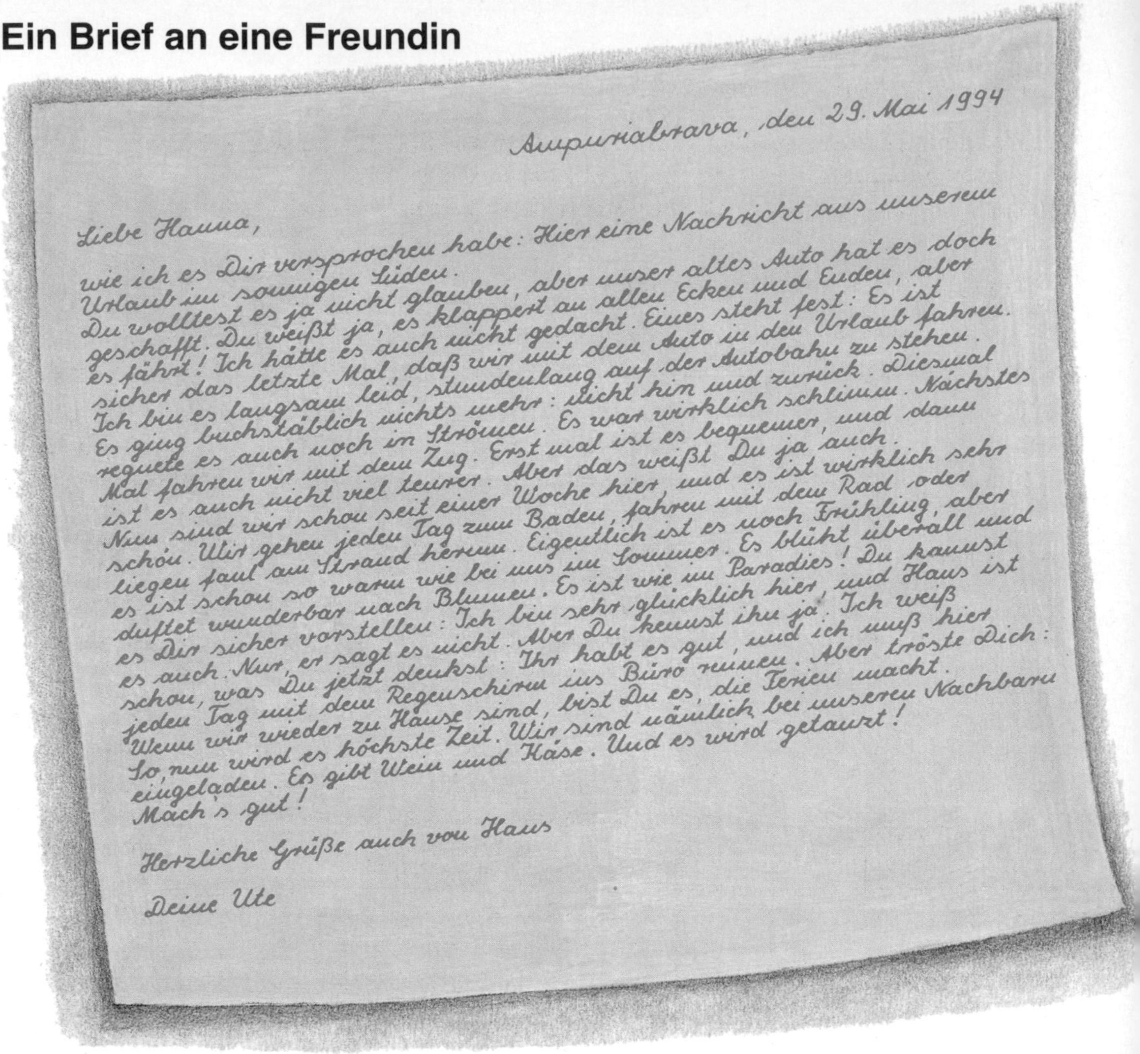

Ampuriabrava, den 29. Mai 1994

Liebe Hanna,

wie ich es Dir versprochen habe: Hier eine Nachricht aus unserem Urlaub im sonnigen Süden.
Du wolltest es ja nicht glauben, aber unser altes Auto hat es doch geschafft. Du weißt ja, es klappert an allen Ecken und Enden, aber es fährt! Ich hätte es auch nicht gedacht. Eines steht fest: Es ist sicher das letzte Mal, daß wir mit dem Auto in den Urlaub fahren. Ich bin es langsam leid, stundenlang auf der Autobahn zu stehen. Es ging buchstäblich nichts mehr: nicht hin und zurück. Diesmal regnete es auch noch in Strömen. Es war wirklich schlimm. Nächstes Mal fahren wir mit dem Zug. Erst mal ist es bequemer, und dann ist es auch nicht viel teurer. Aber das weißt Du ja auch.
Nun sind wir schon seit einer Woche hier, und es ist wirklich sehr schön. Wir gehen jeden Tag zum Baden, fahren mit dem Rad oder liegen faul am Strand herum. Eigentlich ist es noch Frühling, aber es ist schon so warm wie bei uns im Sommer. Es blüht überall und duftet wunderbar nach Blumen. Es ist wie im Paradies! Du kannst es Dir sicher vorstellen: Ich bin sehr glücklich hier, und Hans ist es auch. Nur, er sagt es nicht. Aber Du kennst ihn ja. Ich weiß schon, was Du jetzt denkst: Ihr habt es gut, und ich muß hier jeden Tag mit dem Regenschirm ins Büro rennen. Aber tröste Dich: Wenn wir wieder zu Hause sind, bist Du es, die Ferien macht.
So, nun wird es höchste Zeit. Wir sind nämlich bei unseren Nachbarn eingeladen. Es gibt Wein und Käse. Und es wird getanzt!
Mach's gut!

Herzliche Grüße auch von Hans

Deine Ute

10. Was schreibt Ute? – Ordnen Sie zu.

§ 19

Ute | schreibt, behauptet, teilt mit,

a)	daß ihr Auto		zum Baden gehen würden.
b)	daß es auf der Fahrt		was Hanna jetzt denke.
c)	nächstes Mal		werde getanzt.
d)	daß sie und Hans jeden Tag		in Strömen geregnet habe.
e)	daß sie oft mit dem Rad		am Strand herumlägen.
f)	daß sie faul		fahren würden.
g)	sie wisse schon,		sich trösten.
h)	Hanna solle	a)	es doch geschafft habe.
i)	bei ihren Nachbarn		führen sie mit dem Zug.

Indikativ
sie gehen
sie fahren

Konjunktiv I
(sie gehen) →
(sie fahren) →

Konjunktiv II
sie würden gehen
sie würden fahren
sie führen

11. Überlegen Sie:

a) Welche Informationen hat Hanna vermutlich von Utes Brief erwartet?
b) Welche Sätze enthalten echte Neuigkeiten?
c) Mit welcher Absicht schreibt man solche Urlaubsbriefe?

12. Schreiben Sie selbst einen Brief.

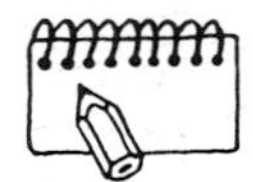

Wählen Sie einen der folgenden Anlässe. Benutzen Sie das Schema auf Seite 73.
Adressieren Sie den Brief an einen anderen Kursteilnehmer und besprechen Sie ihn mit ihm.

Bitten Sie um Informationsmaterial über eine Stadt.	Fragen Sie nach dem Kursprogramm einer Sprachenschule.	Fragen Sie in einem Hotel nach. Sie haben dort etwas liegenlassen.
Reservieren Sie ein Hotelzimmer.	Reklamieren Sie etwas, was Sie neu gekauft haben.	Beschweren Sie sich bei Ihrem Nachbarn über…
Kündigen Sie Ihre Wohnung.	Mahnen Sie jemanden, Ihnen Ihr Geld zurückzugeben.	Laden Sie jemanden zu einer Party ein.
Laden Sie jemanden ein, Sie für ein paar Tage zu besuchen.	Schreiben Sie Ihrem Gast, wie er vom Bahnhof zu Ihnen kommt.	Schreiben Sie einen Brief aus dem Urlaub.
Bedanken Sie sich für eine Einladung und sagen Sie zu.	Sagen Sie eine Einladung ab.	Bedanken Sie sich für ein Geschenk.

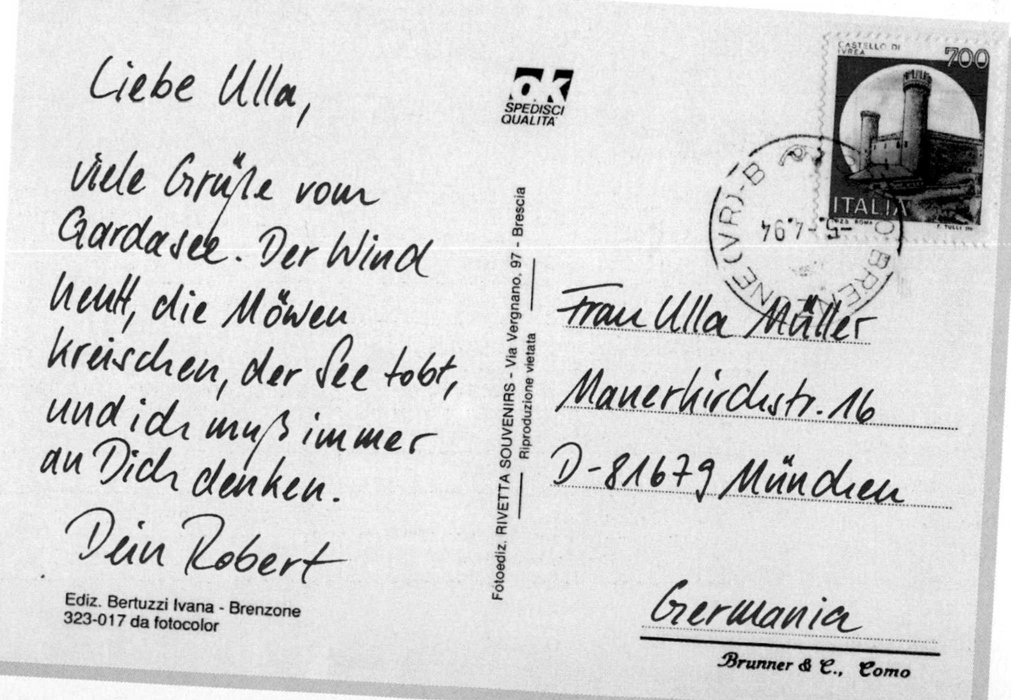

Liebe Ulla,

viele Grüße vom Gardasee. Der Wind heult, die Möwen kreischen, der See tobt, und ich muß immer an Dich denken.

Dein Robert

Ediz. Bertuzzi Ivana - Brenzone
323-017 da fotocolor

ok SPEDISCI QUALITA'

Fotoediz. RIVETTA SOUVENIRS - Via Vergnano, 97 - Brescia
Riproduzione vietata

CASTELLO DI IVREA 700 ITALIA

Frau Ulla Müller
Mauerkircherstr. 16
D-81679 München

Germania

Brunner & C., Como

Männersprache – Frauensprache?

13. Lesen Sie die beiden Geschichten.

■ *Ein Vater fuhr mit seinem Sohn zum Fußballspiel. Mitten auf einem Bahnübergang blieb ihr Wagen stehen. In der Ferne hörte man schon den Zug pfeifen. Der Vater versuchte, den Motor wieder anzulassen, aber vor Aufregung schaffte er es nicht. So wurde das Auto von dem heranfahrenden Zug erfaßt.*
Ein Krankenwagen jagte zur Unfallstelle und holte die beiden ab. Auf dem Weg ins Krankenhaus starb der Vater. Der Sohn lebte noch, aber sein Zustand war sehr ernst; er mußte sofort operiert werden. Kaum im Krankenhaus angekommen, wurde er in den Notfall-Operationssaal gefahren, wo schon die Chirurgen warteten. Als sie sich jedoch über den Jungen beugten, sagte jemand vom Chirurgenteam erschrocken: „Ich kann nicht mitoperieren – das ist mein Sohn."

Zwei Kinder mit ihren Müttern, ein Bub, ein Mädchen, gehen Steine sammeln. Der Bub gibt das Kommando: „Jeder, der einen Stein hat, legt ihn jetzt hierhin." Daraufhin sagt das Mädchen: „Ja, jede, die einen Stein hat, legt ihn hin." Da schaut der Bub verblüfft und sagt: „Jeder", darauf sagt sie „Nein, jede. Wir sind nämlich drei Frauen, und du bist bloß *ein* Bub." Jetzt schaut er total empört, schluckt einmal kurz und sagt: „Das ist ungerecht, dann redet ja niemand von mir."

a) Fanden Sie die erste Geschichte überraschend? Wenn ja: wodurch?
b) Was könnte das Mädchen in der zweiten Geschichte dem Jungen antworten?

14. Suchen Sie in Gruppen Beispiele für „Männersprache". Vielleicht finden Sie welche in „Themen"...

Er und sie sind Studenten.
Jeder, der falsch parkt, kann bestraft werden.
Wer hat seinen Lippenstift hier liegenlassen?
Machen Sie ein Rollenspiel mit Ihrem Nachbarn.
...

§ 19

Männer behaupten, ...
- die Sprache habe zwar maskuline und feminine Formen, die Sprache benutze diese Formen aber anders.
- diese Tradition könne man nur sehr schwer verändern.
- die maskulinen Formen meinten die weiblichen Personen mit.
- die maskulinen Formen seien nicht frauenfeindlich.
- der Tisch sei ebensowenig männlich wie die Bank weiblich.
- die maskulinen Formen seien einfacher.
- alle Texte müßten sonst verändert werden.
- das Schreiben werde dann noch komplizierter.

Frauen behaupten, ...
- *daß die Sprache zwar feminine Formen habe, daß man sie aber nicht benutze*
- *daß der jetzige Sprachgebrauch frauenfeindlich sei.*
- *daß die deutsche Sprache eine Männersprache sei.*
- *daß man den Sprachgebrauch verändern müsse.*
- *daß alle Texte auch die Frauen ansprechen müßten.*
- *daß Frauen und Männer vor dem Gesetz gleich seien.*
- *daß dies aber im Alltag nicht zu bemerken sei.*
- *daß auch die Sprache reformiert werden müsse.*

15. Gibt es das Problem in Ihrer Sprache auch? – Geben Sie Beispiele und diskutieren Sie.

In der französischen Sprache ist es ähnlich: Es gibt Wörter, die ...

Im Englischen ist es anders: ...

Redensarten

16. Welche „Übersetzung" paßt zu welcher Redensart?

Redensarten	„Übersetzungen"
Das bringt mich auf die Palme.	Man hat ihn betrogen.
Das läßt mich völlig kalt.	Sie beachtet die Regeln nicht.
Das sind nur kleine Fische.	Er hat mir endlich die Wahrheit gesagt.
Er hat ein Brett vor dem Kopf.	Er muß sich beeilen.
Er hat eine lange Leitung.	Das regt mich auf.
Er hat mir endlich reinen Wein eingeschenkt.	Er gibt an.
Er muß die Beine unter den Arm nehmen.	Er versteht nichts.
Er spuckt große Töne.	Das interessiert mich nicht.
Er will immer mit dem Kopf durch die Wand.	Ich langweile mich.
Ich bin aus allen Wolken gefallen.	Das sind keine großen Probleme.
Ich bin ihm auf den Schlips getreten.	Er braucht lange, um etwas zu verstehen.
Ich habe mir den Mund verbrannt.	Ich verstehe.
Er hat sich übers Ohr hauen lassen.	Ich war sehr überrascht.
Mir fällt die Decke auf den Kopf.	Er will immer alles mit Gewalt erreichen.
Mir geht ein Licht auf.	Ich habe etwas gesagt, was ich lieber nicht sagen sollte.
Sie läßt die Flügel hängen.	Ich habe ihn beleidigt.
Sie tanzt immer aus der Reihe.	Sie hat keinen Mut mehr.

a) Versuchen Sie, die „Übersetzungen" zu finden. Arbeiten Sie zu zweit oder zu dritt.

b) Ordnen Sie die Redensarten.

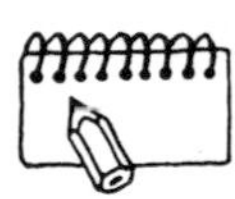

Reaktion	Gemütszustand	Beurteilung	Bericht
Mir geht ein Licht auf. Das ...	Sie läßt die Flügel hängen.	Das sind nur kleine Fische.	Ich bin ihm auf den Schlips getreten.

17. „Übersetzen" Sie den Dialog in normale Sprache und spielen Sie ihn.

2 14

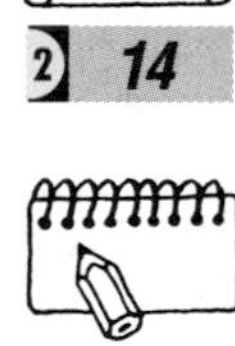

○ Hallo Gaby, wie guckst du denn aus der Wäsche?
□ Ach, mir fällt die Decke auf den Kopf.
○ Wieso das denn? Ist Helmut nicht da?
□ Ach der – der hat doch ein Brett vor dem Kopf! Von dem habe ich die Nase voll!
○ Aha – mir geht ein Licht auf: Du hast ihn in die Wüste geschickt?!
□ Ja, das habe ich! Er wollte immer mit dem Kopf durch die Wand. Das hat mich auf die Palme gebracht.
○ Ja, ich weiß; er hat immer ziemlich große Töne gespuckt...
□ Na egal, das ist jetzt Schnee von gestern.
○ So gefällst du mir schon besser. Laß die Flügel nicht hängen!

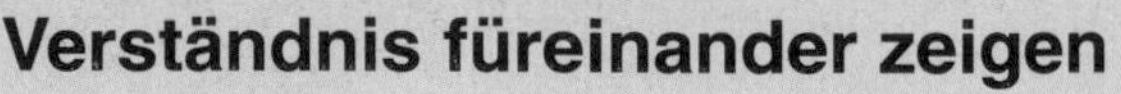

Verständnis füreinander zeigen

Franziska Polanski

2 15

○ Darf ich mich zu Ihnen setzen?
□ Bitte.
○ Ich meine, vielleicht möchten Sie lieber ungestört die Zeitung lesen.
□ Es geht schon.
○ Ich habe dafür vollstes Verständnis. Vor einem Jahr saß ich einmal dort drüben an dem kleinen Tisch und las die Zeitung. Dann setzte sich einer dazu, und es war aus. Er redete die ganze Zeit. Können Sie sich das vorstellen?
□ Ja, ja.
○ Dabei finde ich, es gibt nichts Schöneres, als in einem Café zu sitzen und ungestört die Zeitung zu lesen. Finden Sie nicht?
□ Doch.
○ Was lesen Sie denn für eine Zeitung?
□ Die „New York Times".
○ Sind Sie Amerikaner?
□ Nein.
○ Ich lese immer den „Odenwälder Boten", auch eine sehr gute Zeitung. Ist eigentlich die „New York Times" besser als die „London Times"? Wie? Ich meine, irgendeinen Unterschied muß es doch geben?
□ Was ist?
○ Ich sagte, irgendeinen Unterschied muß es doch geben.
□ Keine Ahnung.
○ Das ist merkwürdig. Man würde doch denken, daß ein Mann wie Sie das weiß. Schließlich lesen Sie doch die „Times".
□ Was wollen Sie eigentlich?
○ Ich? Wieso?
□ Sie setzen sich hierher und reden pausenlos. Merken Sie nicht, daß Sie mich stören?
○ Ich!?
□ Ja. Ich möchte hier ungestört sitzen und die Zeitung lesen.
○ Wissen Sie was!?
□ Nein.
○ Ich glaube, Sie haben mir gar nicht richtig zugehört.
□ ?
○ Wenn Sie mir nämlich richtig zugehört hätten, dann wüßten Sie, daß ich gesagt habe, daß ich dafür vollstes Verständnis habe. Vor einem Jahr saß ich nämlich einmal dort drüben an dem kleinen Tisch links und las die Zeitung. Dann setzte sich einer dazu und …
□ Herr Ober! Zahlen!
○ Warum wollen Sie denn schon gehen? Was haben Sie denn auf einmal?
□ Guten Tag!! (*geht ab*)
○ Typisch! Man kommt den Menschen voller Verständnis entgegen, und was erntet man!? Böse Blicke!

Lektion 7

Guten Appetit!
Guten Appetit!
Guten Appetit!
Guten Flug!
Viel Spaß!
Gute Fahrt!
Herzliches Beileid
Gesundheit!
Gute Besserung!
FAHRSCHULE
Viel Glück!
Schönes Wochenende!
Schönes Wochenende!

§ 29, 31

Feste und Bräuche

Advent

Vier Sonntage vor dem Weihnachtsfest beginnt die Adventszeit. In den Wohnungen und Kirchen, manchmal auch in Büros und Fabriken hängen Adventskränze mit vier Kerzen. Am ersten Sonntag wird die erste Kerze angezündet, am zweiten eine zweite Kerze dazu, usw., am letzten Sonntag vor Weihnachten brennen alle vier Kerzen.

Kinder bekommen einen besonderen Kalender mit kleinen Fächern, in denen Schokoladenstücke stecken – eins für jeden Tag vom 1. Dezember bis Weihnachten.

Nikolaustag

Am 6. Dezember ist der Nikolaustag. Am Abend vorher stellen die kleinen Kinder ihre Schuhe auf eine Fensterbank oder vor die Tür. In der Nacht, so glauben sie, kommt der Nikolaus und steckt Süßigkeiten und kleine Geschenke hinein. In vielen Familien erscheint der Nikolaus (ein verkleideter Freund oder Verwandter) auch persönlich. Früher hatten die Kinder oft Angst vor ihm, weil er sie nicht nur für ihre guten Taten belohnte, sondern sie auch mit seiner Rute dafür bestrafte, daß sie unartig gewesen waren.

Weihnachten

Weihnachten ist das Fest von Christi Geburt. In den deutschsprachigen Ländern wird es schon am Abend des 24. Dezember, dem Heiligen Abend, gefeiert. Man schmückt den Weihnachtsbaum und zündet die Kerzen an, man singt Weihnachtslieder (oder hört sich wenigstens eine Weihnachtsplatte an), man verteilt Geschenke. In den meisten Familien ist es eine feste Tradition, an diesem Tag zum Gottesdienst in die Kirche zu gehen.

Ein Weihnachtsbaum stand schon im 16. Jahrhundert in den Wohnzimmern, vielleicht sogar noch früher. Damals war er mit feinem Gebäck geschmückt; im 17. Jahrhundert kamen Wachskerzen und glitzernder Schmuck dazu. Inzwischen ist der Weihnachtsbaum in aller Welt bekannt und steht auch auf Marktplätzen oder in den Gärten von Wohnhäusern.

Für die Kinder ist Weihnachten das wichtigste Fest des Jahres – schon wegen der Geschenke. Im Norden Deutschlands bringt sie der Weihnachtsmann, angetan mit weißem Bart und rotem Kapuzenmantel, in einem Sack auf dem Rücken. In manchen Familien, vor allem in Süddeutschland, kommt statt des Weihnachtsmanns das Christkind. Es steigt, so wird den Kindern erzählt, direkt aus dem Himmel hinunter zur Erde. Aber es bleibt dabei unsichtbar – nur die Geschenke findet man unter dem Weihnachtsbaum.

1. Zu welchen Texten passen die Bilder?

2. Schreiben Sie zu zweit eine kurze Zusammenfassung von je einem Text und vergleichen Sie im Kurs.

Silvester und Neujahr

Der Jahreswechsel wird in Deutschland laut und lustig gefeiert. Gäste werden eingeladen, oder man besucht gemeinsam einen Silvesterball. Man ißt und trinkt, tanzt und singt. Um Mitternacht, wenn das alte Jahr zu Ende geht und das kommende Jahr beginnt, füllt man die Gläser mit Sekt oder Wein, prostet sich zu und wünscht sich »ein gutes Neues Jahr«. Dann geht man hinaus auf die Straße, wo viele ein privates Feuerwerk veranstalten.

Die Heiligen Drei Könige

Am 6. Januar ist der Tag der Heiligen Drei Könige: Kaspar, Melchior und Balthasar. Nach einer alten Legende, die auf eine Erzählung der Bibel zurückgeht, sahen diese drei Könige in der Nacht, in der Christus geboren wurde, einen hellen Stern, folgten ihm nach Bethlehem, fanden dort das Christkind und beschenkten es.
Heute verkleiden sich an diesem Tag in katholischen Gegenden viele Kinder als die drei Könige, gehen mit einem Stab, auf dem ein großer Stern steckt, von Tür zu Tür und singen ein Dreikönigslied. Dafür bekommen sie dann etwas Geld oder Süßigkeiten.

Fasching und Karneval

Fasching, Karneval, Fastnacht: Diese Namen bezeichnen Gebräuche am Winterende, die schon vor dem Christentum entstanden sind. Die Menschen wollten die Kälte und die Geister des Winters vertreiben. Die Bräuche sind unterschiedlich, aber zwei Dinge sind immer dabei: Lärm und Masken. Besonders schön und intensiv feiert man am Rhein, von der Basler Fasnacht bis hinunter nach Mainz, Köln und Düsseldorf. Aber auch an vielen anderen Orten sind teilweise sehr alte Karnevalsbräuche lebendig geblieben.
Heute ist der Karneval ein Teil des christlichen Jahresablaufs. Da soll noch einmal gefeiert werden, ehe dann am Aschermittwoch die Fastenzeit beginnt.

Ostern

Zu Ostern feiern die Christen die Auferstehung von Jesus Christus aus seinem Grab. Aber auch die Osterbräuche sind wohl schon vor dem Christentum entstanden. Eine besondere Rolle spielen die Ostereier: gekochte Eier, die von den Kindern oder auch von den Erwachsenen bunt bemalt werden. Diese Ostereier werden zusammen mit eingepackten Schokoladeneiern, kleinen Osterhasen aus Schokolade und allerlei anderen Süßigkeiten im Garten versteckt, wo die Kinder sie dann suchen. Kleine Kinder glauben, daß der Osterhase die leckeren Sachen für sie im Garten versteckt hat.

3. Wann werden die Feste gefeiert, und warum?

Was ist dabei das Wichtigste? Welche Personen und Gegenstände spielen eine Rolle?

4. Welche dieser Feste werden auch bei Ihnen gefeiert? Wie werden sie gefeiert?

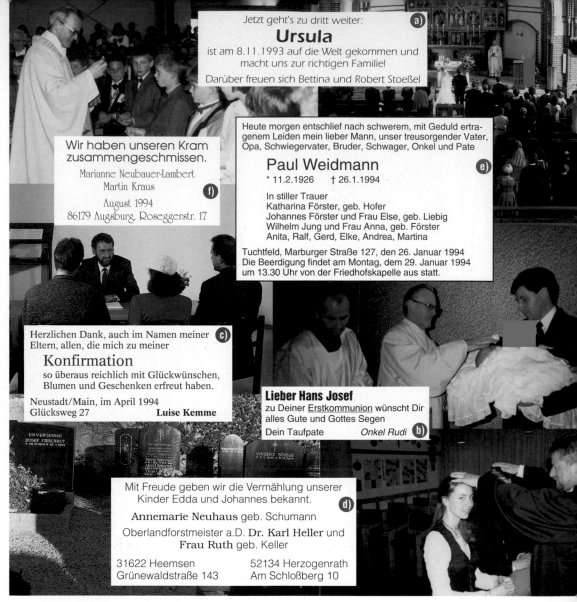

a)
Jetzt geht's zu dritt weiter:
Ursula
ist am 8.11.1993 auf die Welt gekommen und macht uns zur richtigen Familie!
Darüber freuen sich Bettina und Robert Stoeßel

f)
Wir haben unseren Kram zusammengeschmissen.
Marianne Neubauer-Lambert
Martin Kraus
August 1994
86179 Augsburg, Roseggerstr. 17

e)
Heute morgen entschlief nach schwerem, mit Geduld ertragenem Leiden mein lieber Mann, unser treusorgender Vater, Opa, Schwiegervater, Bruder, Schwager, Onkel und Pate
Paul Weidmann
* 11.2.1926 † 26.1.1994
In stiller Trauer
Katharina Förster, geb. Hofer
Johannes Förster und Frau Else, geb. Liebig
Wilhelm Jung und Frau Anna, geb. Förster
Anita, Ralf, Gerd, Elke, Andrea, Martina
Tuchtfeld, Marburger Straße 127, den 26. Januar 1994
Die Beerdigung findet am Montag, dem 29. Januar 1994 um 13.30 Uhr von der Friedhofskapelle aus statt.

c)
Herzlichen Dank, auch im Namen meiner Eltern, allen, die mich zu meiner
Konfirmation
so überaus reichlich mit Glückwünschen, Blumen und Geschenken erfreut haben.
Neustadt/Main, im April 1994
Glücksweg 27 **Luise Kemme**

b)
Lieber Hans Josef
zu Deiner Erstkommunion wünscht Dir alles Gute und Gottes Segen
Dein Taufpate *Onkel Rudi*

d)
Mit Freude geben wir die Vermählung unserer Kinder Edda und Johannes bekannt.
Annemarie Neuhaus geb. Schumann
Oberlandforstmeister a.D. **Dr. Karl Heller** und **Frau Ruth** geb. Keller
31622 Heemsen, Grünewaldstraße 143
52134 Herzogenrath, Am Schloßberg 10

5. Welches Bild gehört zu welcher Anzeige?

6. In welchem Text wird…

ein Glückwunsch ausgesprochen? – eine Heirat bekanntgegeben? – eine Geburt angezeigt – ein Dank ausgesprochen? – der Tod eines Menschen bekanntgegeben?

7. Wie heißen die Leute, die geheiratet haben?

8. Welche Einstellungen zum Thema „Familie" lassen besonders die Anzeigen a), d), e) und f) erkennen?

1 Edel sei der Mensch hilfreich und gut
Zur Konfirmation
HERZLICHE GLÜCKWÜNSCHE

2 Aufrichtige Teilnahme

3 GESEGNETE WEIHNACHTEN
UND EIN GUTES NEUES JAHR

4 Zur Taufe
HERZLICHE GLÜCKWÜNSCHE

5 Zur Vermählung die besten Wünsche

6 Recht frohe Ostertage

7 ZUM GEBURTSTAG
ALLES LIEBE UND GUTE

9. Überlegen Sie:

a) Welche Karten passen zu den Anzeigen auf Seite 82 beziehungsweise zu den Festtagen auf Seite 80 / 81?
b) Schreiben Sie in Gruppen selbst Karten für diese Anlässe. Besprechen Sie sie im Kurs.
c) Zu welchen weiteren Anlässen schreibt man in Ihrem Land eine Karte?
d) Zu welchen Anlässen würden Sie ein Geschenk mitbringen? Was für eins?

10. Was sagt man da?

a) Was sagt man in den Situationen A bis N?

Herzlichen Glückwunsch! Guten Flug!
Gute Fahrt! Schönes Wochenende!
Herzliches Beileid! Gute Besserung!
Auf Wiedersehen! Gesundheit!
Viel Erfolg! Gute Nacht! Schlaf gut!
Gut, abgemacht! Viel Spaß!
Guten Appetit! Hals- und Beinbruch!

A Jemand geht zu einer Party.
B Jemand fährt morgen nach Berlin.
C Jemand fliegt heute nach Rom.
D Jemand hat eine Prüfung bestanden.
E Jemand macht morgen eine Prüfung.
F Jemand ist krank und bleibt zu Hause.
G Jemand beendet seine Arbeit am Freitag.
H Jemand fährt zum Skifahren.
I Ein naher Verwandter ist gestorben.
J Jemand hat geniest.
K Es kann gegessen werden.
L Jemand geht zu Bett.
M Jemand verabschiedet sich.
N Jemand trifft eine Verabredung für 8 Uhr.

b) Hören Sie fünf Dialoge. Welche der Situationen A bis N gehören zu den Dialogen?

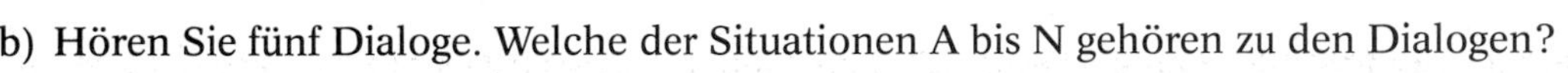
Zu Dialog 1: ___ Zu Dialog 2: ___ Zu Dialog 3: ___ Zu Dialog 4: ___ Zu Dialog 5: ___

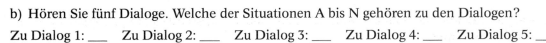

11. Eine Küche vor etwa 120 Jahren ...

Welche Gegenstände können Sie erkennen und benennen? Wozu brauchte man wohl die Geräte, die Sie *nicht* kennen? Welche modernen Geräte gab es damals noch nicht?

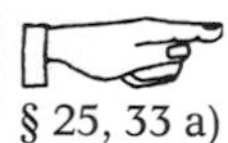

§ 25, 33 a)

Gänsebraten

In vielen Familien gehört ein knuspriger Gänsebraten zum Weihnachtsfest. Aus gutem Grund, denn in den Wintermonaten schmecken Gänse am besten.

1 bratfertige Gans, Salz, Pfeffer, gerebelter Majoran, 750 g kleine Äpfel, 3 EL Semmelbrösel, 1 Fleischbrühwürfel, 1 Zwiebel, 8 mittelgroße Äpfel, Öl, Mehl.

Die Gans waschen und mit einem sauberen Tuch abtrocknen. Von innen mit Salz, Pfeffer und Majoran einreiben, außen salzen und pfeffern. Die kleinen Äpfel waschen, das Kerngehäuse ausstechen, in einer Schüssel mit Semmelbröseln mischen und die Gans damit füllen. Die Öffnung mit Holzstäbchen zustecken und mit einem Baumwollfaden zusammenbinden. Die Gans mit der Brustseite nach unten auf dem Bratenrost in den vorgeheizten Backofen schieben. Die Bratenpfanne mit etwas kochendem Wasser unter den Bratenrost schieben. Bei Mittelhitze eine Stunde braten, zwischendurch immer mit Bratensatz begießen. Dann den zerdrückten Fleischbrühwürfel und die Zwiebelscheiben in den Bratensaft geben. Wenn der Rücken braun ist, die Gans umdrehen und noch etwa 1 1/2 Stunden weiterbraten lassen.
Die 8 mittelgroßen Äpfel waschen, abtrocknen, mit Öl bepinseln, neben die Gans auf den Bratenrost setzen und in der letzten halben Stunde mitbraten. Während des Bratens die Haut mit einem Holzspießchen einstechen, damit Fett abfließen kann. Den Bratensaft durch ein Sieb gießen, das Fett abschöpfen, mit 1/4 l kochendem Wasser auffüllen und mit dem angerührten Mehl binden. Die Soße würzen.
Zum Schluß die Gans mit kaltem Salzwasser bestreichen und bei starker Oberhitze noch etwa zehn Minuten braten, damit die Haut knusprig wird. Holzspießchen aus der Gans ziehen, den Faden entfernen und die Gans mit den Äpfeln auf einer vorgewärmten Platte anrichten. Dazu gibt es Kartoffelklöße mit Zwiebelringen, Rotkohl, Kopf- und Selleriesalat.

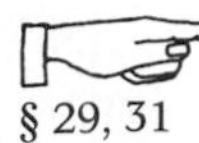

§ 29, 31

12. Beschreiben Sie dieses oder ein anderes Rezept mit eigenen Worten.

Zuerst wird die Gans gewaschen und innen und... Die Äpfel werden...

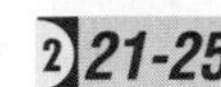

Ein Abendessen mit Gästen

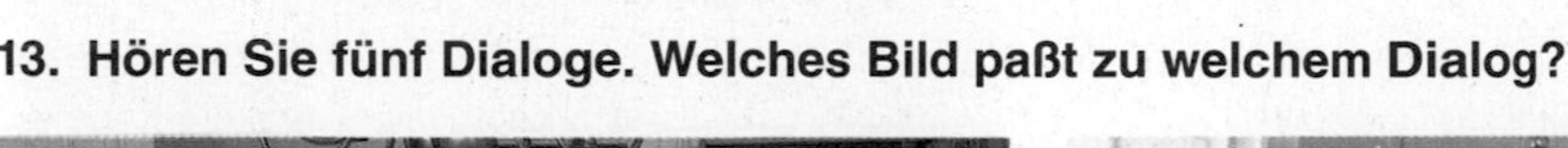

13. Hören Sie fünf Dialoge. Welches Bild paßt zu welchem Dialog?

Dialog Nr.___

Dialog Nr.___

Dialog Nr.___

Dialog Nr.___

Dialog Nr.___

14. Wer sagt das?

die Gastgeber:_________ die Gäste:_________ Das können alle sagen:_________

A Das macht gar nichts!
B Es schmeckt alles wirklich köstlich.
C Trinken Sie zum Essen lieber Wein oder Bier?
D So, ich glaube, für uns wird es Zeit.
E Legen Sie doch bitte ab.
F Es war wirklich sehr nett bei Ihnen.
G Kommen Sie doch bitte herein.
H Darf ich Ihnen die Knödel reichen?
I Dürfte ich noch ein Stück haben?
J Und wenn Sie mal nach ... kommen, sind Sie schon jetzt herzlich bei uns eingeladen.
K Sie haben aber wirklich eine schöne Wohnung.
L Wie wär's mit noch einem Glas Wein?
M Würden Sie mir bitte das Kraut reichen?

15. Hören Sie die Dialoge noch einmal und spielen Sie eigene Varianten zu den Situationen.

Überlegen Sie, was sich ändert, wenn die Personen sich duzen.

16. Formulieren Sie „12 goldene Regeln" für Einladungen bei Deutschen.

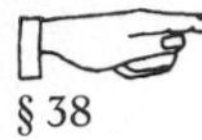

§ 38

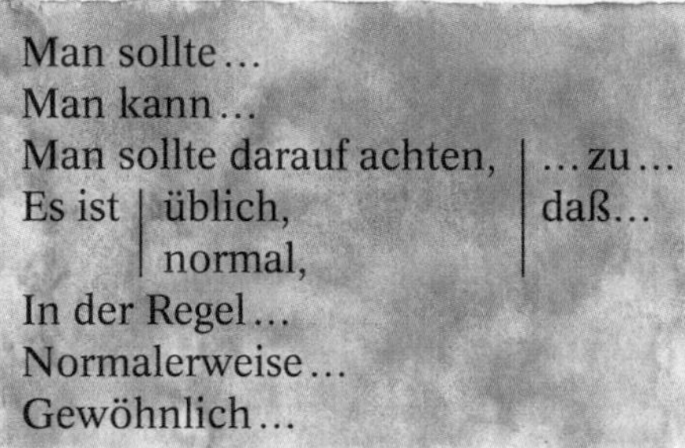

Man sollte …
Man kann …
Man sollte darauf achten, | … zu …
Es ist | üblich, | daß …
normal,
In der Regel …
Normalerweise …
Gewöhnlich …

Kleine Geschenke erhalten die Freundschaft …

bei mitgebrachten Blumen vorher das Papier entfernen

keine roten Rosen schenken

immer zehn Minuten später als verabredet kommen

ohne besondere Einladung keine Kinder mitbringen

am Nachmittag nicht bis zum Abendessen bleiben

den Kindern der Gastgeber etwas mitbringen

sich entschuldigen, wenn man zu spät kommt

ohne besondere Erlaubnis keine Freunde mitbringen

bei Abendeinladungen vor Mitternacht gehen

statt Blumen auch eine Flasche Wein mitbringen

auf korrekte und passende Kleidung achten

als Mann der Dame die Blumen überreichen

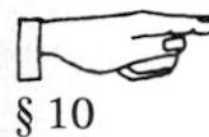

§ 10

17. In welcher Reihenfolge steht das im Text auf Seite 87?

A Es macht Spaß, allmählich einen eigenen Stil für Einladungen zu finden.
B Es ist ein gutes Gefühl, wenn man einen Ort weiß, wo man immer willkommen ist.
C Man kann zu sich einladen, wen man will.
D Man muß sich für spontane Gäste Zeit nehmen und auf andere Dinge verzichten oder sie verschieben.
E Manche Leute wird man nicht spontan einladen wollen.
F Wer gern Gäste hat, wird auch dafür sorgen, daß immer etwas zu essen und zu trinken im Haus ist – es muß aber nicht etwas ganz Besonderes sein.
G Wer Leute einlädt, sollte sich nicht fragen, was er oder sie tun muß, sondern was er oder sie tun will und tun kann.
H Zu spontanen Einladungen muß man nicht unbedingt etwas mitbringen.
I Es gibt drei Voraussetzungen für das Gelingen von spontaner Gastlichkeit.
J Schon immer haben die Menschen ihren Gästen etwas zu essen und zu trinken gegeben.
K In den Büchern über gutes Benehmen steht nichts über spontane Einladungen.
L Gäste, die sich spontan zu Besuch melden, erwarten keine besonders aufgeräumte Wohnung.
M Wer Einladungen immer wieder verschiebt, verliert Freunde.
N Früher gab es spezielles Gebäck für unerwartete Gäste.

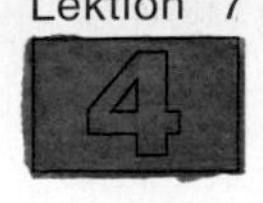

SYBIL GRÄFIN SCHÖNFELDT
DES GUTEN TONS
DAS NEUE BENIMMBUCH
rororo
SACHBUCH

[…] Irgendwann die ersten Leute, die man einlädt. Zum ersten Mal bei sich, in der Bude, in der WG oder in der eigenen Wohnung. Geschlecht, Alter und Rasse spielen keine Rolle, auch in der Gastlichkeit gilt heute gleiches Recht für alle, jeder kann jeden einladen. Und wer einlädt, kann das ganze Vergnügen auskosten, seinen eigenen Stil und die eigenen Regeln zu entwerfen. […]

So beginnt es. Nicht mit der Frage: Wie muß ich es machen?, sondern: Wie will ich es machen? Daraus ergibt sich rasch die Frage: Was kann ich denn machen?

Die erste Gastlichkeit ergibt sich vielleicht wie von selbst. Ganz spontan spricht man die freundlichste Einladung zum Inoffiziellen aus und sagt: »Kommt vorbei!« Kommt herauf, nach dem Büro, vor dem Kino, zwischen Sonntagsspaziergang und Familienbesuch. Das ist eine Einladungsform, die in keinem Benimmbuch steht, weil sie keine Regeln hat, sondern eine Selbstverständlichkeit sein sollte. […]

Wie schön, wenn der Mensch weiß: Ich kann zu jemandem raufkommen, reinschauen. Wenn er ganz allgemein weiß: Ich bin willkommen, wann immer mir der Sinn nach Geselligkeit steht. Ich brauche mich nicht umzuziehen. Ich brauche keine Blumen zu kaufen. Ich brauche auch nicht lange zu bleiben. Oder noch besser: Ich kann bleiben, so lange es meinem Gastgeber und mir behagt. Und wenn ich es selber bin, an dessen Tür jemand läutet und fragt: »Darf ich raufkommen?«, so kann alles bleiben, wie es ist. Kein Vorbereiten, kein Aufräumen und kein Überlegen: Habe ich auch ...? Ist auch ...? Nichts als schiere Zwischenmenschlichkeit.

Nichts? Nun, ohne Ordnung funktioniert auch die Freiheit nicht, und diese inoffizielle Gastlichkeit klappt nur, wenn mindestens drei Dinge stimmen oder vorhanden sind:

Das Wichtigste sind natürlich die Gäste. Mag man jeden Menschen so locker und ungezwungen bei sich haben? Ich glaube, nein. […] »Komm doch mal rauf!« sagt man also nur zu solchen, denen man die Wohnung und das eigene Ich auch im Alltagsgewand präsentieren möchte. Und denen man zurufen kann: »Wartet mal einen Augenblick, ich räume gerade die Waschmaschine ein / oder aus / bade mein Kind / telefoniere mit meinem Vater, da liegen Zeitschriften, da steht der Schnaps, bedient euch, gleich bin ich da!«

Das Zweitwichtigste ist die Zeit. Wenn schon jemand in unseren Tagen sich die Muße nehmen will, »mal reinzuschauen«, so sollte man selber nicht passen. Und den Fernseher abschalten. Oder den Brief morgen fertigschreiben. Wenn jemand, der mein Gast werden will, einmal gehört hat: »Ja, ja, du solltest wirklich vorbeikommen. Nur nicht heute, nicht in dieser Woche. Da hab ich nämlich ... Aber nächste Woche, halt: nein! Das ist ja schrecklich. Da ist ja gleich Weihnachten. Also bis Mitte Jänner ist eigentlich gar nichts drin!« Wenn das also jemand gehört hat, dann weiß er, es ist nie was drin, und meldet sich nie wieder mit der freundschaftlichsten aller Fragen: »Hast du Zeit für mich?« Sie bietet ja gerade die Chance, dem Terminkalender ein Schnippchen zu schlagen.

»Kommt zu mir!« Wieviel besser ist das, als sich – sagen wir nach dem Theater oder Konzert – die Hand zu schütteln und zu sagen: »Wir müssen uns aber wirklich mal richtig sehen!« Also: »Wir telefonieren mal und verabreden was!«

Nun kommt der letzte und dritte Punkt: […] Es scheint eins unserer Urbedürfnisse zu sein, dem, der bei uns einkehrt, auch etwas zu essen oder zu trinken anzubieten. Die Familien des vorigen, des bürgerlichen Jahrhunderts waren auf die mannigfachste Weise auf solche hochgeschätzten Überfälle gerüstet. […] Jede Landschaft hatte ihre Dauer- oder Anhalterkuchen, meist Sandtorten in Steintöpfen für Leute, die anhielten, um Guten Tag zu sagen. Und in der Speisekammer stand die große Blechdose, in der Spritzgebäck und Butterkekse »für plötzlichen Besuch« aufbewahrt wurden.

So soll es sein: Man gibt, wenn man etwas geben will, was man hat. Und wenn man gern gibt, hat man gewisse Dinge stets in Vorrat, den man dann nur zurechtmachen und auf den Tisch stellen muß. War's gut? »Dann schaut doch mal wieder rein!«

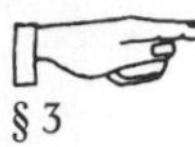

§ 3

Kleine Gäste-Typenlehre

Gäste können sehr verschieden sein. Das ist für den Gastgeber nicht immer einfach, denn er möchte alle am Gespräch beteiligen, damit niemand sich langweilt.

Die Stimmungskanone: Sie kann dazu beitragen, eine lahme Gesellschaft anzuregen, reißt aber als „Alleinunterhalter" leicht das ganze Gespräch an sich.

Der Fanatiker: Nur seine Meinung, sein Beruf und seine politische Richtung gelten etwas. Die Gefahr: hartes Zusammenstoßen mit den anderen Gästen.

Der Schüchterne: Er fühlt sich in Gesellschaft nicht besonders wohl. Ihm fällt nichts ein.Er steht mutlos im Hintergrund und wagt nichts zu sagen.

Der Eingebildete: Er spielt den ganzen Abend den Snob. Ihm ist nichts gut genug, und er verärgert die anderen Gäste. Er weiß alles besser und läßt sich nichts sagen.

Der Ungeschickte: Er ist gehemmt, fühlt sich dauernd beobachtet, wirft sein Weinglas um und macht Komplimente, die mißverständlich und ungeschickt formuliert sind.

Der Zuvieltrinker: Wenn man ihn als solchen erkennt, ist es meist schon zu spät.

Der Spezialist: Er möchte nur über sein Fachgebiet sprechen. Was darüber hinausgeht, reizt ihn zum Gähnen. Er langweilt sich.

Der Positive: Er ist der ideale Gast. Er kann sich benehmen, geistreich erzählen und lustig sein, ohne zu übertreiben. Für die anderen Gäste ist es ein Vergnügen, ihm zu begegnen.

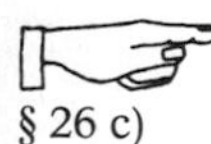

§ 26 c)

18. Formulieren Sie Ratschläge, wie man als Gastgeber die verschiedenen Gästetypen behandeln sollte.

Beim …	sollte man …
Den …	könnte man …
Dem …	
Wenn der …, dann	

- Vermitteln und Themen wechseln.
- In Ruhe lassen und hoffen, daß nicht mehr passiert.
- Höflich zurechtweisen. Wenn nötig, hart tadeln.
- Nichts mehr einschenken. Mit dem Taxi nach Hause bringen lassen oder im Gästezimmer aufs Bett legen.
- Erzählen lassen und nicht unterbrechen.
- Auf ein Thema ablenken, das ihm nicht gefällt.
- Immer wieder ermutigen. Themen auswählen, die ihm liegen, und auf seine wenigen Äußerungen eingehen.
- Sein Hobby herausfinden und darüber sprechen.

Das Verbots-Spiel

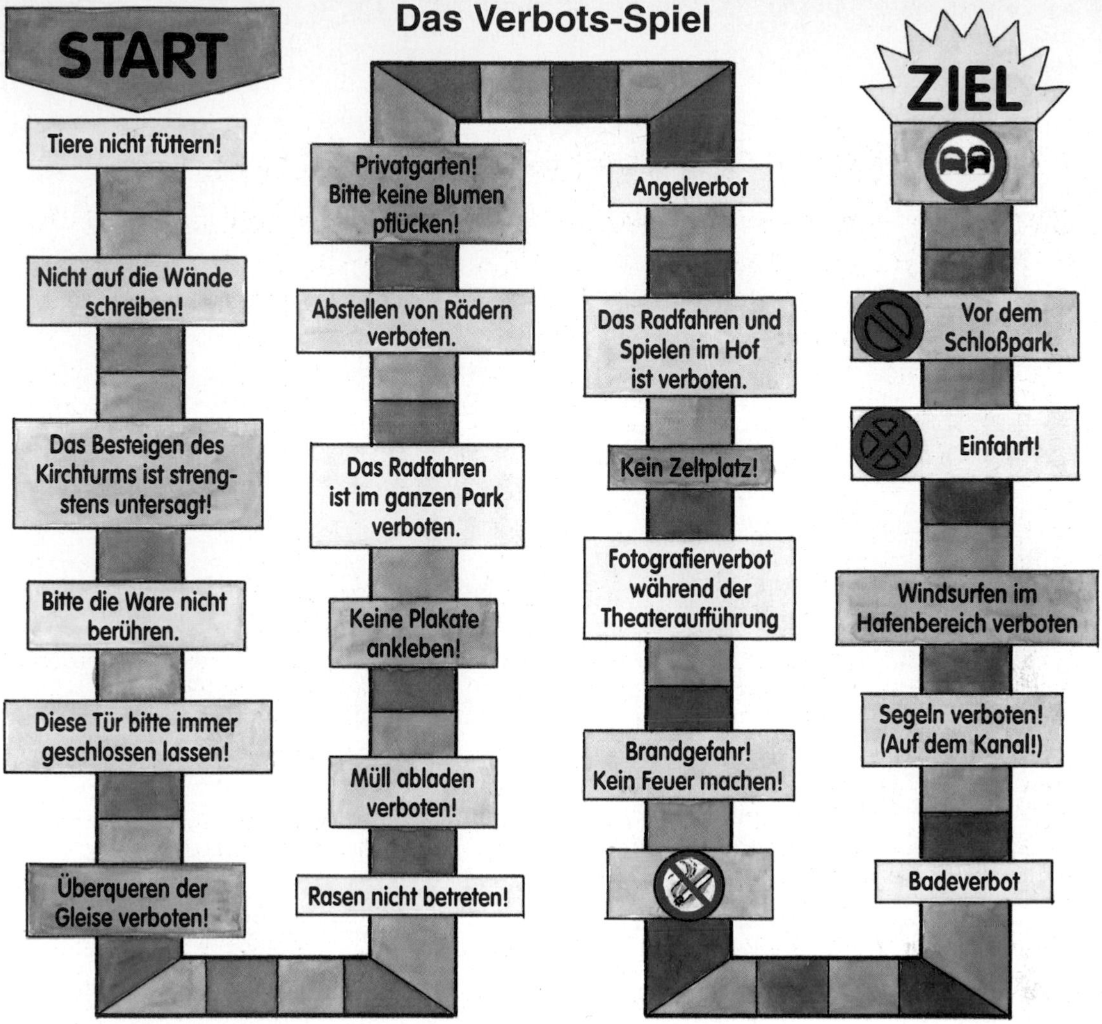

START

- Tiere nicht füttern!
- Nicht auf die Wände schreiben!
- Das Besteigen des Kirchturms ist strengstens untersagt!
- Bitte die Ware nicht berühren.
- Diese Tür bitte immer geschlossen lassen!
- Überqueren der Gleise verboten!
- Rasen nicht betreten!
- Müll abladen verboten!
- Keine Plakate ankleben!
- Das Radfahren ist im ganzen Park verboten.
- Abstellen von Rädern verboten.
- Privatgarten! Bitte keine Blumen pflücken!
- Angelverbot
- Das Radfahren und Spielen im Hof ist verboten.
- Kein Zeltplatz!
- Fotografierverbot während der Theateraufführung
- Brandgefahr! Kein Feuer machen!
- Badeverbot
- Segeln verboten! (Auf dem Kanal!)
- Windsurfen im Hafenbereich verboten
- Einfahrt!
- Vor dem Schloßpark.

ZIEL

19. Spielen Sie zu dritt oder zu viert!

Wenn ein Spieler auf ein Feld mit einem Verbot trifft, muß der Mitspieler, der am weitesten zurückliegt (oder der, der als letzter vor ihm gewürfelt hat), ihn darauf aufmerksam machen. Wenn er das gut macht, darf er ein Feld vorrücken.
Der Mitspieler auf dem Verbotsfeld muß seine verbotene Handlung begründen oder verteidigen. Wenn er das gut macht, darf er ebenfalls ein Feld vorrücken. (Der Spielleiter entscheidet.)

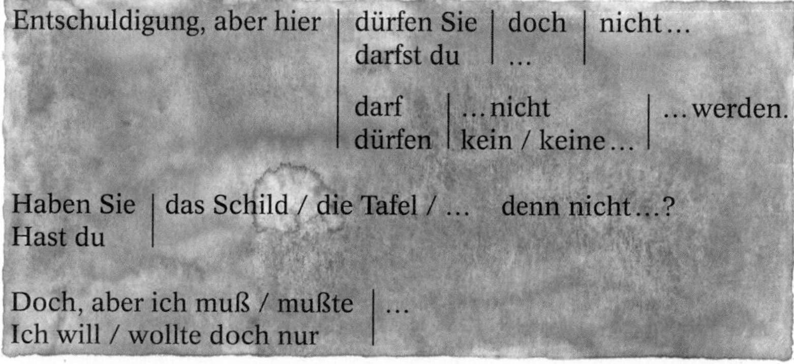

Entschuldigung, aber hier | dürfen Sie / darfst du | doch / … | nicht…
darf / dürfen | … nicht / kein / keine… | … werden.
Haben Sie / Hast du | das Schild / die Tafel / … denn nicht…?
Doch, aber ich muß / mußte / Ich will / wollte doch nur | …

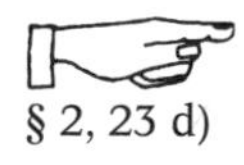

§ 2, 23 d)

Die Geschichte vom Zappel-Philipp

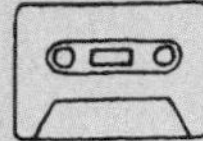

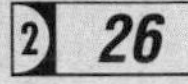

„Ob der Philipp heute still
wohl bei Tische sitzen will?“
Also sprach in ernstem Ton
der Papa zu seinem Sohn,
und die Mutter blickte stumm
auf dem ganzen Tisch herum.
Doch der Philipp hörte nicht,
was zu ihm der Vater spricht.
Er gaukelt
und schaukelt,
er trappelt
und zappelt
auf dem Stuhle hin und her.
„Philipp, das mißfällt mir sehr!“

Seht, ihr lieben Kinder, seht,
wie's dem Philipp weiter geht!
Oben steht es auf dem Bild.
Seht! er schaukelt gar zu wild,
bis der Stuhl nach hinten fällt.
Da ist nichts mehr, was ihn hält.
Nach dem Tischtuch greift er, schreit.
Doch was hilft's? Zu gleicher Zeit
fallen Teller, Flasch und Brot.
Vater ist in großer Not,
und die Mutter blicket stumm
auf dem ganzen Tisch herum.

Nun ist Philipp ganz versteckt,
und der Tisch ist abgedeckt.
Was der Vater essen wollt,
unten auf der Erde rollt.
Suppe, Brot und alle Bissen,
alles ist herabgerissen.
Suppenschüssel ist entzwei,
und die Eltern stehn dabei.
Beide sind gar zornig sehr,
haben nichts zu essen mehr.

Lektion 8

der Deckel
der Auspuff

das Gehäuse

das Zahnrad
die Klappe
18.15

die Taste
der Regler
der Schalter
der Stecker
die Buchse
das Kabel

1. Beschreiben Sie einen Tagesablauf.

Benutzen Sie dabei die Bilder und die Wörter.

Der Wecker klingelte um sieben Uhr. Ich stand auf und duschte mich. Dann ging ich in die Küche und…

Bus Radio
Kaffeemaschine
Fernseher
Computer Lift
Herd
Telefon
Waschmaschine
Wecker
Buch Dusche

waschen lesen
telefonieren
hören kochen
duschen
klingeln
arbeiten fahren
nehmen kochen
fernsehen

LIFT
H
18.20.

Um	sieben	Uhr	klingelte		… und …
	acht		ging	ich	
	halb acht		duschte		
Von … bis …			kochte		
Dann			fuhr		
Danach			arbeitete		
Den ganzen Tag			…		
Abends					
…					

Um Mitternacht flog
ich zur Arbeit …

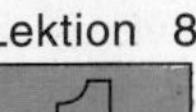

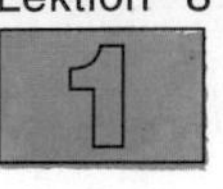

Heute ging alles schief

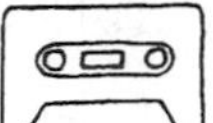

§ 17, 18

Als ich heute morgen aufwachte, war es schon neun Uhr. Mein Wecker war stehengeblieben. Dabei hätte ich schon um acht im Büro sein müssen. Jetzt mußte ich mich sehr beeilen.
Aber einen Kaffee wollte ich doch noch kochen. Da stellte ich fest, daß die Kaffeemaschine nicht in Ordnung war, und so mußte ich ohne Kaffee los. Es kam aber noch schlimmer. Mein Fahrrad war nicht mehr da: gestohlen! Ich mußte also zu Fuß zum Bahnhof laufen. Und als ich am Bahnhof ankam, war der Zug gerade abgefahren, und ich mußte fast eine halbe Stunde warten.
Und dann war in der Firma noch der Lift kaputt, und ich mußte zu Fuß gehen. Mein Büro ist im achten Stock! Als ich endlich in meiner Abteilung ankam, war es halb elf. Mein Chef war ziemlich sauer und fragte, was mit mir los sei. Da mußte ich ihm alles erklären. Geglaubt hat er aber nichts.

2. Sehen Sie sich die Bilder genau an.

Was ist da wohl passiert? Überlegen Sie zu zweit. Hören Sie dann die Entschuldigungen. Welche Bilder passen zu den einzelnen Texten? Welche passen nicht ganz? (In der Lösungstabelle markieren!) Begründen Sie Ihre Entscheidungen!

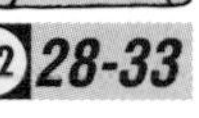

A

B

C

D

E

F

Zu Text	1	2	3	4	5	6
paßt Bild	C					

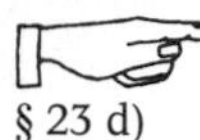

§ 23 d)

3. Reklamieren Sie.

○ Ich habe bei Ihnen dieses Radio gekauft. Und jetzt ist die Antenne abgebrochen. Kann das repariert werden?
□ Nein, das geht leider nicht. Die Antenne muß ersetzt werden.
○ Gut, wenn es nicht anders geht! Wann wird das fertig?
□ Am Donnerstag können Sie Ihr Radio abholen.
○ Und wieviel wird das ungefähr kosten?
□ So um 80 Mark.

4. Spielen Sie verschiedene Dialoge durch.

Benutzen Sie dafür die Angaben in der Tabelle. Sie können die Geräte, die Termine und die Preise selbst auswählen.

Gerät	Schaden	Termin	Preis
Kaffeemaschine	die Tinte: kleckst	heute abend	80,–
Auto	das Glas: zerbrochen	morgen früh	8,–
Plattenspieler	das Zündrad: herausgefallen	eine Viertelstunde	90,–
Radio	die Batterie: ist schon leer	zwei Wochen	20,–
Uhr	die Endabschaltung: funktioniert nicht	drei Tage	20,– bis 150,–
Staubsauger	läuft nicht mehr	Donnerstag	240,–
Füller	der Auspuff: durchgerostet	Freitag	45,–
Feuerzeug	das Kabel: verletzt	nächsten Montag	80,–
Fahrrad	die Antenne: abgebrochen	etwa zehn Tage	70,–
Brille	die Bremse: funktioniert nicht mehr	Anfang nächster Woche	150,–

○ Ich habe bei Ihnen ... gekauft. Und jetzt ist ... Kann das repariert werden?

□ Nein, das | geht leider nicht. / ist leider nicht möglich. | ... muß | ersetzt / ausgetauscht | werden.
Ja, das kann man machen. / Ja, das geht schon.

○ Gut, dann | tauschen Sie das aus. / ersetzen / machen Sie das. Wann | wird das fertig? / kann ich das abholen?

□ Am ... / Anfang nächster Woche / In ... Stunden / Tagen / Heute abend / Morgen / Übermorgen | können Sie ... abholen.

○ Und | wieviel wird das ungefähr kosten? / wie teuer wird das ungefähr?

□ So um / Nicht mehr als / Mindestens / Höchstens | ... Mark.

5. Das Maschinenspiel

Hier ist Ihr Baukasten:

3 gerade Linien (1)
4 Dreiecke (2)
4 Quadrate (3)
1 breites Rechteck (4)
2 schmale Rechtecke (5)
4 Kreise (6)

a) Zeichnen Sie mit den Figuren des Baukastens auf ein Blatt Papier eine eigene „Maschine“, mit der etwas hergestellt, bearbeitet oder untersucht werden kann. Sie darf ruhig sehr phantasievoll sein. Geben Sie ihr einen Namen und sagen Sie, wozu sie dient. (Die „Maschine“ neben dem Baukasten ist ein Beispiel. Es handelt sich um eine „Obstmaschine“; sie dient zur Herstellung übergroßer Apfelsinen.)

b) Ihre Nachbarin oder Ihr Nachbar soll nun Ihre Maschine aufgrund Ihrer Beschreibung nachzeichnen. Ihre Zeichnung dürfen Sie ihr oder ihm aber auf gar keinen Fall zeigen! Dafür dürfen Sie über alles, was unklar ist, miteinander sprechen, so lange Sie wollen.

§ 28

Die vier Dreiecke	stehen / steht	links	oben	einen Zentimeter	neben	…
Eines der Quadrate	liegen / liegt	rechts	unten	etwa 2 Millimeter	über / unter	
Die schmalen Rechtecke	sind / ist	in der Mitte		direkt	vor / hinter	
Zwei gerade Linien	…	ganz außen		…	links von	
…		…			…	

c) Vergleichen Sie dann das Original mit der Kopie. Beschreiben Sie jeden Fehler.

Die Kreise	ist / sind	falsch.		
Das breite Rechteck	steht / stehen	zu weit oben. / unten. / links. / rechts.		
…	…	zu nahe	beisammen.	
			bei	…
		zu weit weg	von	
			voneinander.	
		…		

Er / Sie / Es / Sie	sollte/ sollten	viel	näher bei	…	stehen.
Der / Die / Das / Die	müßte / müßten	etwas	weiter entfernt von		liegen.
…	…	…	weiter oben / unten /…		sein.
		nicht horizontal, sondern vertikal			
		nicht so schräg			
		…			

d) Spielen Sie jetzt das Spiel noch einmal mit vertauschten Rollen.

Behalten Sie die Zeichnung Ihrer Maschine. Sie werden sie für Übung 9 wieder brauchen.

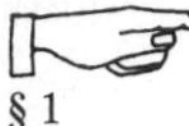

§ 1

Blitzen mit Computer-Blendenrechner
Weiße Markierung des Blendenrechners (4) auf Filmempfindlichkeit einstellen. Blendenwert gegenüber rotem Punkt auf Kamera übertragen. Die rote Linie auf der Meter/feet-Skala zeigt den Arbeitsbereich des Computers. Die Computertaste (5) auf den roten Punkt einstellen.
Beispiel: Filmempfindlichkeit 21 DIN / 100 ASA Arbeitsblende 5,6. Blitzbereich 1,0–4,5 m. **1**

Wahlwiederholung
Durch Drücken der Wahlwiederholtaste können Sie die zuletzt gewählte Rufnummer erneut wählen.
- Mobilteil eingeschaltet (6), Klappe des Mobilteils geöffnet (16).
- Wahlwiederholtaste (11) drücken. Die gespeicherte Rufnummer wird gesendet.
- Nach Gespräch, Mobilteilklappe schließen.

Hinweis: Bei mehr als 30 Ziffern werden nur die ersten 30 Ziffern gewählt.
Die Rufnummer im Wahlwiederholspeicher bleibt erhalten, bis Sie eine neue Rufnummer wählen. **2**

Bandwiedergabe (☞ D)
1. Den Cassettenfachdeckel durch Drücken der Stopp-/Auswurftaste öffnen. Die Cassette gemäß Abbildung in das Cassettenfach einsetzen, dann den Cassettenfachdeckel schließen.
2. Die Wiedergabetaste drücken, um mit der Wiedergabe zu beginnen.
3. Den Lautstärkeregler wunschgemäß einstellen.
4. Um die Wiedergabe zu beenden, die Stopp-/Auswurftaste drücken. **3**

Sicherheitshinweise

Betriebsspannung, Netzspannung und Stromart müssen übereinstimmen! (Siehe Typschild auf dem Gehäusegriff)
Vorsicht, dieses Gerät nicht in der Badewanne, Dusche oder über mit Wasser gefülltem Waschbecken benutzen.

Sollte das Gerät dennoch einmal ins Wasser fallen, dann sofort den Netzstecker aus der Steckdose ziehen! *Keinesfalls ins Wasser greifen!*

Das Gerät anschließend von einem Fachmann überprüfen lassen!
Das Gerät darf nicht naß werden (Spritzwasser usw.) bzw. mit nassen Händen benutzt werden!

Sollte das Gerät während des Trokkenvorganges aus der Hand gelegt werden, so ist es aus Gründen der Sicherheit immer auszuschalten. Nicht mit Sprays oder Wasserzerstäuber in das Gerät sprühen!
Die Luftein- und Luftaustrittsöffnungen dürfen nie abgedeckt werden! **4**

Oberleitungsbetrieb: Das Umschalten auf Oberleitungsbetrieb erfolgt an der Schaltplatine der Lokomotive. Dazu das Gehäuse abnehmen und den Oberleitungs-Umschalter etwa 90° verdrehen (siehe Abb. 2). Auf richtige Schienen-Polarität achten! Werkseitig ist das Modell auf Schienebetrieb eingestellt. **5**

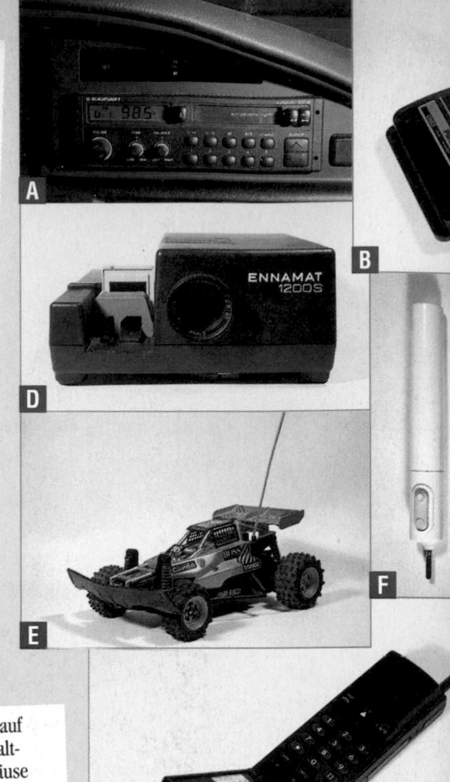

6. Welche Anleitung paßt zu welchem Bild? Was für Gegenstände sind das?

Text	Bild	Gegenstand
1	G	Blitzgerät
2		
3		
4		
5	J	Modellbahn-Lokomotive

Text	Bild	Gegenstand
6		
7		
8		
9		
10		

7. Wie werden die Anweisungen gegeben?

Aussagesatz: Die ARI-Funktion schalten Sie durch Drücken der ARI-Taste aus.
Aussagesatz mit Modalverb: Durch Drücken der Wahlwiederholtaste können Sie erneut wählen.
Aussagesatz im Passiv: Das andere Ende des Kabels wird in die Ladebuchse am Auto gesteckt.
Infinitiv: Dazu das Gehäuse abnehmen und den Oberleitungs-Umschalter verdrehen.
Partizip Perfekt: Mobilteil eingeschaltet, Klappe des Mobilteils geöffnet.
„sein“ + Inf. mit „zu“: ... so ist es aus Gründen der Sicherheit immer auszuschalten.
Imperativ: Drücken Sie in diesem Fall die Suchlaufwippe.

Welche Möglichkeiten werden in den Texten am häufigsten benutzt? Welche am seltensten?

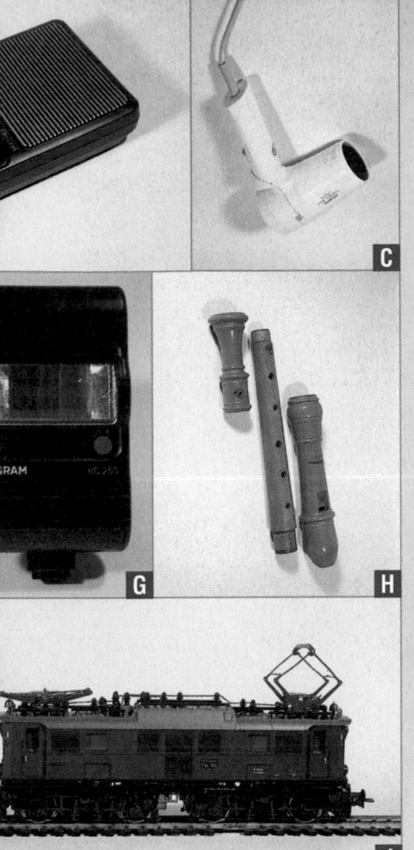

Beenden des Putzvorganges:
Das Gerät ausschalten und den Bürstenkopf aus dem Mund herausnehmen. Den Bürstenaufsatz abspülen, von der Antriebswelle abziehen und ins Aufbewahrungsfach zurücksetzen. Das Gerät ins Ladefach stellen (rote Kontrolllampe muß aufleuchten).
Sollte das Gerät einmal nicht zufriedenstellend arbeiten, prüfen Sie bitte, ob die Kontakte belagfrei sind. **6**

Bei kaltem Instrument empfiehlt es sich, vor dem Spiel den Kopf mit der Hand vorzuwärmen, um starke Kondenswasserbildung zu vermeiden.
Nach jedem Spiel das Instrument auseinandernehmen und die Teile sorgfältig trockenwischen. Niemals den feuchten Wischer im Instrument steckenlassen.
Die mit Naturkork belegten Zapfen öfters mit Zapfenfett einreiben, damit sich die Flötenteile immer leicht zusammenstecken lassen. **7**

Ladevorgang: Steckerlader in normale 220 V Steckdose stecken. Das andere Ende des Kabels wird in die dafür vorgesehene Ladebuchse am Auto gesteckt.
Wichtig: Bitte darauf achten, daß der Schalter des Fahrzeugs auf OFF (AUS) steht. Prüfen, ob alle NC-Akkus gem. Richtungsanweisung im Batteriekasten (+) (–) eingelegt sind. Steckerlader in die Steckdose stecken und das andere Ende in die Ladebuchse am Auto. **8**

ARI bei Radiobetrieb
Die aktivierte ARI-Funktion bewirkt, daß alle Nicht-Verkehrsfunksender stummgeschaltet werden. Möchten Sie nur Verkehrsfunksender hören,
❍ drücken Sie die ARI-Taste (16). Im Anzeigefeld leuchtet ARI (4), wenn die ARI-Funktion eingeschaltet ist.

Zum Ein-/Ausschalten
❍ drücken Sie die ARI-Taste (16). Empfangen Sie bei aktivierter ARI-Funktion noch keinen Verkehrsfunksender, ertönt nach ca. 2 Sekunden der Warnton.
❍ Drücken Sie in diesem Fall die Suchlaufwippe (21). Der nächste Verkehrsfunksender wird empfangen. Der Schriftzug „SK" (5) erscheint im Anzeigefeld.

Die ARI-Funktion schalten Sie durch nochmaliges Drücken der ARI-Taste (16) aus. **9**

Einsetzen der Lampe:
Abdeckschieber über dem Lampengehäuse in Richtung Magazin abziehen. Klappe an dem kleinen Griffsteg hochklappen.
Die Stifte der Halogenlampe 24 V/150 W – ohne Berührung des Glaskolbens mit den bloßen Fingern – vorsichtig in die Lampenfassung einstecken. Klappe schließen und Schieber wieder einsetzen. Die Lampe kann jetzt mit dem Lampenschalter an der Rückseite des Gerätes eingeschaltet werden. **10**

8. Was kann man tun? Was muß wie sein?

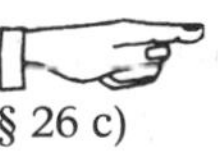

§ 26 c)

abnehmen	stecken
achten	steckenlassen
ausschalten	stehen
drücken	auseinandernehmen
einschalten	übereinstimmen
einsetzen	schließen
einstellen	vermeiden
öffnen	ziehen
prüfen	zusammenstecken

darauf, daß… das Instrument das Gehäuse
die Betriebsspannung und die Stromart ob…
die Teile das Gerät den Lautstärkeregler
den Stecker aus der Steckdose die Lampe
die Taste das Ende des Kabels in die Buchse
der Schalter auf OFF auf die richtige Polarität
die Bildung von Kondenswasser den Deckel
den Wischer im Instrument den Schieber
die Klappe die Taste auf den roten Punkt

Der Schalter muß …

Man kann das Gehäuse abnehmen.

Stimmt, das Gehäuse läßt sich abnehmen.

9. Schreiben Sie eine Gebrauchsanweisung zu Ihrer Maschine aus Übung 5.

Arbeiten Sie zu zweit. Benutzen Sie für jede der beiden Zeichnungen eine andere Möglichkeit, Anweisungen auszudrücken (siehe Übung 7 auf Seite 96).

5

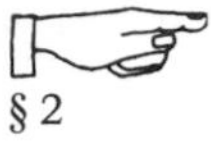

§ 2

Deutsches Museum

von Meisterwerken der Naturwissenschaft und Technik

Das Thema des Deutschen Museums ist die Entwicklung der Technik und der Naturwissenschaften von den Anfängen bis heute. Es wird versucht, Höchstleistungen der Forschung, der Erfindung und der Gestaltung darzustellen und deren Bedeutung und Wirkung zu erklären.
Das Deutsche Museum wirkt durch Ausstellungen, Veröffentlichungen und Vorträge. Daher umfaßt das Museum drei Bauteile: den Sammlungsbau, den Bibliotheksbau und den Kongreßbau.
Das Deutsche Museum wurde 1903 von Oskar von Miller gegründet und 1906 mit ersten Ausstellungen eröffnet. Wegen des ersten Weltkriegs und der Inflation wurde der Museumsbau erst 1925 fertig. Die Bibliothek wurde 1932 eröffnet, der Kongreßbau im Jahre 1935. Nach der Zerstörung im zweiten Weltkrieg wurden die Sammlungen durch Um- und Ausbau vergrößert.
Das Deutsche Museum hat jährlich ca. 1,5 Millionen Besucher. Mit ca. 55 000 Quadratmeter Ausstellungsfläche ist es vermutlich das größte technisch-naturwissenschaftliche Museum der Welt. Seine systematischen Dauerausstellungen umfassen die meisten Gebiete der Naturwissenschaften, vom Bergbau bis zur Astrophysik. Neben historischen Originalen, darunter wertvollen Unikaten wie dem ersten Automobil oder dem ersten Dieselmotor, bietet das Museum Modelle, Experimente und Demonstrationen zum Selbstbetätigen von Hand oder durch Knopfdruck. So liefert ein Besuch des Museums sowohl Informationen als auch Unterhaltung und Erlebnis. Besondere Ausstellungen behandeln aktuelle Themen. Regelmäßig finden Führungen und Vorführungen statt. Für Schüler- und Studentengruppen stehen Hörsäle für die Vor- und Nachbereitung zur Verfügung.

Öffnungszeiten:
Museum und Bibliothek sind täglich von 9 bis 17 Uhr geöffnet. Geschlossen sind Museum und Bibliothek am 1. Januar, am Faschingsdienstag, Karfreitag, Ostersonntag, 1. Mai, Fronleichnam, 1. November, 24., 25. und 31. Dezember.

Eintrittspreise:
Tageskarte DM 8,– (Kinder unter 6 Jahren frei), Schüler und Studenten (mit Ausweis) DM 2,50. Ermäßigte Tageskarte DM 4,–
Gruppen bekommen eine Ermäßigung.

ÜBERSICHTSPLAN

4./5./6. Stock:	Amateurfunk • Astronomie • Planetarium • Sternwarte
3. Stock:	Informatik und Automation • Mikroelektronik • Telekommunikation • Landtechnik • Zeitmessung • Maß und Gewicht
2. Stock:	Keramik • Glastechnik • Technisches Spielzeug • Papier • Schreiben und Drucken • Fotografie • Textiltechnik
1. Stock:	Neue Energietechniken • Physik • Chemie • Musikinstrumente • Luftfahrt • Raumfahrt
Erdgeschoß:	Erdöl und Erdgas • Bergbau • Werkzeugmaschinen • Kraftmaschinen • Elektrizität • Wasserbau • Kutschen und Fahrräder • Automobile • Motorräder • Eisenbahn • Straßen und Brücken • Tunnelbau • Schiffahrt

10. Lesen Sie den Text zuerst ganz durch. Suchen Sie dann nach Informationen über das Museum.

Öffnungszeiten Bauteile Besucherzahl Thema Programme Größe Ausstellungen Eintrittspreise Entwicklung

11. Spielen Sie Dialoge.

Wann wurde das Museum gegründet?
Im Jahre 1903.

12. Was würden Sie in den einzelnen Abteilungen gern sehen?

Schreiben Sie Beispiele auf. Arbeiten Sie zu zweit. Sie können ein Lexikon benutzen.

Dieses Flugzeug mit drei Motoren – wie hieß das doch gleich?

Vielleicht gibt es da ein echtes Wikingerschiff? Das würde mich schon interessieren.

Die Lokomotive vom Orient-Express, wurde die nicht in Deutschland gebaut?

13. Diskutieren Sie: Welches ist die wichtigste Erfindung, die je gemacht wurde?

Der Die Das	…,	weil… denn…

Ohne…	wäre / hätte könnte / würde müßte / …	…	nicht immer noch nicht mehr	…

Im Wohnzimmer sang die Stimm-Uhr: *Tick-tack, sieben Uhr, zackzack, aufstehn nur, aufstehn nur, aufstehn nur, sieben Uhr!*, als ob sie Angst hätte, daß es keiner täte. Das Morgenhaus war leer. Die Uhr tickte weiter und wiederholte ihre Ansagen viele Male in die Leere. *Sieben Uhr neun, zum Frühstück hinein, sieben Uhr neun!*
In der Küche stieß der Frühstücksherd einen zischenden Seufzer aus und entließ aus seinem warmen Innern acht herrlich gebräunte Scheiben Toast, acht perfekte Spiegeleier, sechzehn Scheiben Speck, zwei Tassen Kaffee und zwei Gläser kühle Milch.
»Heute ist der 4. August 2026«, sagte eine zweite Stimme von der Küchendecke, »in der Stadt Allendale, Kalifornien.« Sie wiederholte das Datum dreimal, damit es sich auch richtig einprägte. »Heute hat Mr. Featherstone Geburtstag. Heute hat Tilitia Hochzeitstag. Die Versicherungsbeiträge sind fällig, außerdem das Wassergeld, die Gas- und Elektrizitätsrechnung.«
Irgendwo in den Wänden klickten Relais, und Informationsbänder glitten unter elektrischen Augen dahin.
Acht Uhr vier, tick-tack, acht Uhr vier, zur Schule mit dir, zur Arbeit mit dir, acht Uhr vier! Aber keine Türen wurden zugeschlagen, keine Gummiabsätze gingen sanft über die Teppiche. Es regnete draußen. Der Wetterkasten neben der Haustür sang leise: »Regen, Regen, geh vorbei, Stiefel, Mäntel holt herbei ...« Und der Regen klopfte mit hohlem Geräusch auf das leere Haus.
Draußen läutete die Garage, hob ihre Tür an und gab den Blick frei auf den wartenden Wagen. Nach langem Warten schwang die Tür wieder herab.
Um halb neun waren die Eier unansehnlich und der Toast steinhart geworden. Ein Aluminiumschaber kratzte alles in den Abwasch, wo die Reste von heißem Wasser erfaßt und durch einen metallenen Schlund hinabgesogen wurden, der sie verdaute und ins ferne Meer spülte. Das schmutzige Geschirr wurde in einen Heißwascher getaucht und kam schimmernd trocken wieder zum Vorschein.
Neun Uhr acht, sang die Uhr, *saubergemacht.*
Winzige Robotmäuse kamen aus ihren Wandhöhlen gehuscht. Überall in den Räumen wimmelte es von kleinen Reinigungstieren aus Gummi und Metall. Sie prallten dumpf gegen Stuhlbeine, schwenkten ihre haarigen Läuferchen, klopften den Teppich ab, saugten sanft den verborgenen Staub heraus. Wie geheimnisvolle Eindringlinge verschwanden sie wieder in ihren Nestern. Ihre elektrischen Augen erloschen. Das Haus war sauber.

14. Lesen Sie den Text.

a) Welche Aufgaben werden in diesem Haus automatisch erledigt?

wecken
Brot toasten

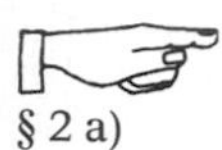

§ 2 a)

b) Welche Geräte benötigen Sie für diese Aufgaben?

Zum Kaffeekochen die Kaffeemaschine.

Den Kühlschrank brauche ich ...

Den Terminkalender, um zu sehen, ob ...

Abfalleimer Herd Wecker Pfanne
Kaffeemaschine Toaster Kühlschrank
Staubsauger Terminkalender Spüle

15. Was glauben Sie: Was kann dieses Haus sonst noch automatisch erledigen?

Ich	vermute, denke, glaube,	es	kann macht	...

Vielleicht Wahrscheinlich ...	kann macht	es ...

Sonne Fensterläden Musik Vertreter Zigarre
Lebensmittel Badewanne Haustür Farbe Dieb
Klapptisch Betten Garten Fenster Fernseher
Feuer Heizung Bücher Blumen Kamin Licht

16. Schreiben Sie die Geschichte weiter.

Arbeiten Sie zu zweit oder zu dritt.
Erzählen Sie in Ihrer Fortsetzung etwas über die Bewohner dieses Hauses. Warum sind sie nicht zum Frühstück gekommen und nicht zur Schule oder zur Arbeit gegangen? Was tun sie in ihrer Freizeit?

17. Diskutieren Sie.

§ 19

Glauben Sie, daß es in der Zukunft solche Häuser geben wird? Würden Sie das gut finden? Sollte man Ihrer Meinung nach lieber andere Dinge verbessern? Welche?
Diskutieren Sie zu dritt oder zu viert. Machen Sie Notizen. Berichten Sie dann über Ihre Diskussion.

Herr …	meint,	man werde …
Frau …	findet,	man könne / müsse / dürfe …
…	hat gesagt,	es gebe / würde / sei …
Ich	habe gesagt,	wir hätten / seien / sollten …
	bin der Meinung,	daß …

18. Hören Sie das Gespräch und ordnen Sie zu.

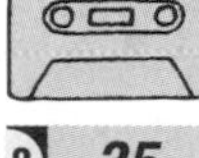

2 35

Die Frau	fällt auf das Haus.
Der Mann	findet Bradbury gut.
Die Geschichte	haben Ball gespielt.
Der Autor der Geschichte	ist Amerikaner.
Das Haus	ist von Ray Bradbury.
Die beiden Kinder	liest keine Romane.
Die Schatten an der Wand	macht alles automatisch.
Die Stimmen	sind weiß.
Der Baum	sprechen zu den Hausbewohnern.

19. Welche Vorteile und welche Nachteile hat die Entwicklung der Technik?

Zuerst findet man neue Erfindungen meistens gut, aber später merkt man zum Beispiel, daß dadurch die Natur zerstört wird.

Das Auto verschmutzt die Luft, aber ich glaube, wir können trotzdem nicht darauf verzichten.

Die Sprays mit FCKW waren sehr praktisch, aber wir haben damit die Ozonschicht kaputtgemacht.

Arbeitsplätze Gift Wald
Wasser Produkte
Information Wetter
Rohstoffe Lärm Reisen
Arbeit Sicherheit
Gesundheit Wissen Müll
Gestank
Energie Kommunikation

7 Fernsehabend

Ein Ehepaar sitzt vor dem Fernsehgerät. Obwohl die Bildröhre ausgefallen ist und die Mattscheibe dunkel bleibt, starrt das Ehepaar zur gewohnten Stunde in die gewohnte Richtung.

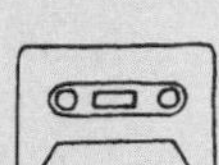

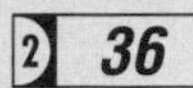

2 36

SIE: Wieso geht der Fernseher denn grade heute kaputt?
ER: Die bauen die Geräte absichtlich so, daß sie schnell kaputtgehen ...
(Pause)
SIE: Ich muß nicht unbedingt fernsehen...
ER: Ich auch nicht... nicht nur, weil heute der Apparat kaputt ist... ich meine sowieso... ich sehe sowieso nicht gern Fernsehen...
SIE: Es ist ja auch wirklich nichts im Fernsehen, was man gern sehen möchte...
(Pause)
ER: Heute brauchen wir Gott sei Dank überhaupt nicht erst in den blöden Kasten zu gucken ...
SIE: Nee... *(Pause)*... Es sieht aber so aus, als ob du hinguckst...
ER: Ich?
SIE: Ja ...
ER: Nein... ich sehe nur ganz allgemein in diese Richtung... aber du guckst hin... du guckst da immer hin!
SIE: Ich? Ich gucke da hin? Wie kommst du denn darauf?
ER: Es sieht so aus...
SIE: Das *kann* gar nicht so aussehen... ich gucke nämlich vorbei... ich gucke *absichtlich* vorbei... und wenn du ein kleines bißchen mehr auf mich achten würdest, hättest du bemerken können, daß ich absichtlich vorbeigucke, aber du interessierst dich ja überhaupt nicht für mich...
ER: *(fällt ihr ins Wort)*
Jaaa... jaaa... jaaa... jaaa...
SIE: Wir können doch einfach mal ganz woanders hingucken...
ER: Woanders?... Wohin denn?

SIE: Zur Seite... oder nach hinten...
ER: Nach hinten? Ich soll nach hinten sehen?... Nur weil der Fernseher kaputt ist, soll ich nach hinten sehen? Ich laß mir doch von einem Fernsehgerät nicht vorschreiben, wo ich hinsehen soll!
(Pause)
SIE: Was wäre denn heute für ein Programm gewesen?
ER: Eine Unterhaltungssendung...
SIE: Ach...
ER: Es ist schon eine Un-ver-schämtheit, was einem so Abend für Abend im Fernsehen geboten wird! Ich weiß gar nicht, warum man sich das überhaupt noch ansieht!... Lesen könnte man statt dessen, Kartenspielen oder ins Kino gehen... oder ins Theater... statt dessen sitzt man da und glotzt auf dieses blöde Fernsehprogramm!
SIE: Heute ist der Apparat ja nu kaputt...
ER: Gott sei Dank!
SIE: Ja...
ER: Da kann man sich wenigstens mal unterhalten...
SIE: Oder früh ins Bett gehen...
ER: Ich gehe nach den Spätnachrichten der Tagesschau ins Bett...
SIE: Aber der Fernseher ist doch kaputt!
ER: *(energisch)* Ich lasse mir von einem kaputten Fernseher nicht vorschreiben, wann ich ins Bett zu gehen habe!

Lektion 9

das Ballett
die Kulisse
die Loge
der Vorhang
die Opernsängerin
der Opernsänger
die Bühne
die Klarinette
die Posaune
das Fagott
die Oboe
die Trompete
die Blasinstrumente
die Flöte
das Orchester
die Streichinstrumente
der Kontrabaß
die Violine
das Cello
der Dirigent
das Publikum
die Plätze im Parkett

1

Zeitgeschichte

1. Sehen Sie sich die alten Fotos genau an.

Was zeigen sie? Die Titel der Texte auf Seite 105 eignen sich als Bildunterschriften.

Die Trümmerfrauen

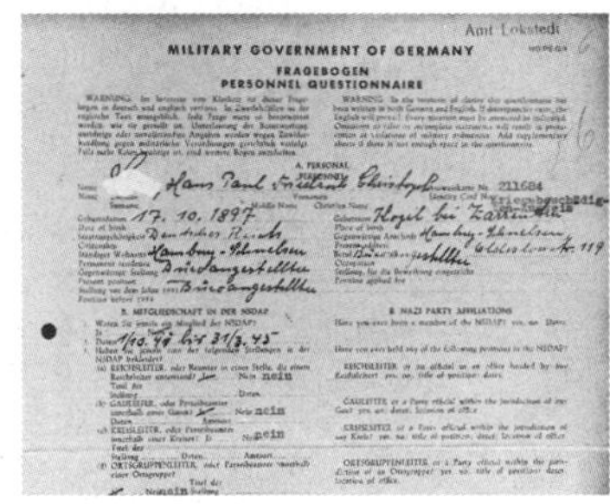

Amt Lokstedt

MILITARY GOVERNMENT OF GERMANY

FRAGEBOGEN

PERSONNEL QUESTIONNAIRE

§ 17, 18, 36

Präteritum

Der 2. Weltkrieg <u>dauerte</u> von 1939 bis 1945.
In diesem Krieg <u>starben</u> über 50 Millionen Menschen.

Plusquamperfekt

1945 war der 2. Weltkrieg zu Ende. Er <u>hatte</u> sechs Jahre <u>gedauert.</u>
In diesem Krieg <u>waren</u> über 50 Millionen Menschen <u>gestorben.</u>

2. Lesen Sie die kleinen Texte auf Seite 105.

Welche Bilder und Texte passen zusammen?

3. Schreiben Sie eine Zusammenfassung.

Arbeiten Sie zu zweit. Schreiben Sie jeweils einen kleinen Abschnitt zu den Texten 1–3, 4, 5, 6–8.

Die Stunde Null

1945 war die „Stunde Null": das Ende des Naziterrors und der Anfang eines neuen Deutschland. Sechs Jahre hatte der Weltkrieg gedauert; über 50 Millionen Menschen waren gestorben. Die Städte in Deutschland waren zerstört. Mehr als 17 Millionen Deutsche waren aus dem Osten geflüchtet. Die Deutschen wollten neu beginnen und die Vergangenheit möglichst schnell vergessen.

Die Trümmerfrauen

Sie wurden zum Symbol der Nachkriegszeit. Im Krieg waren viele Männer gefallen, und viele waren noch nicht aus der Kriegsgefangenschaft zurückgekehrt. Deshalb mußten die Frauen allein für sich und ihre Kinder sorgen. Aus den Trümmern der kaputten Häuser bauten sie Wohnungen. Das, was sie zum Leben brauchten, kauften sie auf dem schwarzen Markt. Als die Männer später aus dem Krieg oder aus der Gefangenschaft zurückkamen, gab es Probleme, denn die Frauen hatten inzwischen gelernt, selbständig zu sein. Das dauerte aber nicht lange – bald spielten die Männer wieder die alte Rolle.

Der Persilschein

Persil ist ein Waschmittel. Aber hier geht es nicht um Wäsche, sondern um Menschen. Jeder Deutsche brauchte damals ein Dokument, das bestätigte, daß er kein Nazi gewesen war. Diese Erklärung nannte man Persilschein. Man bekam den Persilschein zum Beispiel dann, wenn jemand, der von den Nazis verfolgt worden war, bestätigte, daß man nicht zu den Nazis gehört hatte. Wer keinen echten Schein bekommen konnte, bekam vielleicht einen auf dem schwarzen Markt.

Das Wirtschaftswunder

Nach dem Krieg waren die meisten Fabriken zerstört. Die Menschen in Deutschland hungerten, und viele hatten keine Wohnung. Aber schon zehn Jahre später hatte sich alles verändert: 1960 gab es nur noch 100 000 Arbeitslose. Der Wohlstand für alle war erreicht; man sprach von einem Wirtschaftswunder. Dieses Wunder war möglich geworden, weil die Industrie neu aufgebaut worden war, weil die USA mit ihrem Marschallplan geholfen hatten, weil eine neue Währung eingeführt worden war und weil jeder Deutsche arbeiten wollte.

Die Mauer

Nachdem 1949 die Bundesrepublik Deutschland und die Deutsche Demokratische Republik entstanden waren, flüchteten immer mehr Menschen aus der kommunistischen DDR in die demokratische Bundesrepublik. Schließlich waren es mehr als 3 Millionen, und darunter vor allem Akademiker und andere gut ausgebildete Fachkräfte. Da schloß die DDR 1961 mit der Mauer in Berlin die letzte Möglichkeit, die zur Flucht noch geblieben war. Freunde, Bekannte und Familien wurden voneinander getrennt. Viele, die danach über die Mauer flüchten wollten, bezahlten diesen Versuch mit ihrem Leben.

Die Achtundsechziger

In den 60er Jahren gab es junge Leute, meist Studentinnen und Studenten, die nicht verstehen konnten, warum sich nach dem zweiten Weltkrieg so wenig geändert hatte. Besonders der Krieg in Vietnam trieb viele zum Protest auf die Straße. Es war eine Bewegung in ganz Europa, die 1968 ihren Höhepunkt erreichte. Die „68er" wollten eine Revolution der Gesellschaft, aber sie konnten ihre Ziele nicht erreichen.

Die Grünen

Mehr als die Hälfte der Wälder in Deutschland sind krank. Die Flüsse, Seen und Meere werden immer schmutziger. Giftige Stoffe sind in der Luft, in unseren Nahrungsmitteln, in unserem Trinkwasser. In den 60er Jahren wurde immer mehr Leuten bewußt, daß der Wohlstand, die Industrie und der zunehmende Autoverkehr die Umwelt vergiftet hatten. Es entstand eine neue Partei: die Grünen. Diese Partei setzt sich seither für eine umweltfreundliche Politik ein; sie hat vielen Menschen und auch Politikern anderer Parteien klargemacht, daß wir die Umwelt nicht mehr so sorglos behandeln dürfen.

Die Friedensbewegung

In den 70er Jahren sahen mehr und mehr Menschen ihre Zukunft durch Atomwaffen, Rüstungsindustrie und Kriege bedroht. Sie gingen auf die Straße, bildeten Menschenschlangen und demonstrierten; sie besetzten Atomkraftwerke und blockierten militärische Einrichtungen. Viele Professoren, Journalisten, Schriftsteller und Künstler machten bei dieser Massenbewegung mit, die schließlich zu einer öffentlichen Opposition gegen die Regierung wurde.

Was Hedwig M. vom Leben nach dem Krieg erzählt

Hedwig erlebte das Kriegsende in Magdeburg.

Am 8. Mai 1945 lagen 80% von Magdeburg in Schutt und Asche. Meine Kinder und ich, meine Jüngste wurde am 9. Mai geboren, wurden auf dem Land untergebracht. [...]
Wir wohnten nun mit mehreren Personen in einem sehr kleinen Raum, mein eineinhalbjähriger Sohn schlief auf dem Tisch, für das Neugeborene war nur noch Platz unter einer Plane vor der Tür. Dort stand dann der Kinderwagen, und nur zum Füttern holte ich sie herein. Unter der Plane war allerdings der wärmste und geschützteste Platz. Mein Vater schlief auf einem viel zu kurzen Sofa, so daß ich heute noch nicht weiß, wo er seine Beine gelassen hat.
Heute bin ich froh, daß meine Kinder noch so klein waren. Sie haben deswegen nicht so viel von dem ganzen Elend mitbekommen. Ich arbeitete auch als Trümmerfrau, um ein paar Pfennige zu verdienen. Die Kinder mußte ich mitnehmen. Den Kinderwagen stopfte ich mit einem Schaffell aus, setzte meine Kinder hinein, und los ging's. Für die Kinder hatte ich zu trinken dabei, auch schön gewärmt unter dem Schaffell, und einen Kanten Brot. Das war alles. Wann immer ich konnte, schob ich dann auch noch mit dem Kinderwagen los, um Brennmaterial zu suchen. Eine Kinderwagenladung von Tannenzapfen reichte dann gerade, um am Abend das Breichen aufzuwärmen. So blieb es auch nicht aus, daß ich Holz und Briketts klaute, wenn sich eine Möglichkeit bot.
Viele Stunden lang stand ich vor den Lebensmittelgeschäften in der Schlange, um irgend etwas Eßbares zu ergattern. Es gab zwar die Lebensmittelkarten, aber noch lange nicht die dazugehörigen Lebensmittel. Die Frauen in der Schlange waren schon recht abgestumpft, kaum jemand unterhielt sich. Manche hatten einen Hocker dabei und stierten vor sich hin.
[...]
Alles wurde damals per Hand gemacht; z. B. die Kleidung fertigte ich aus alten Zuckersäcken an, die ich aufgeribbelt, gekocht und gebleicht hatte. Von all dieser schweren Arbeit spüre ich auch heute noch die Auswirkungen. Meine Gelenke, vor allem die Kniegelenke, sind nicht mehr in Ordnung. Die harte Knochenarbeit, das viele Stehen ist nicht ohne Folgen geblieben.

4. In welcher Reihenfolge berichtet Hedwig M. über die folgenden Themen?

das Einkaufen	die Arbeit	die Kleidung
das Heizmaterial	die Folgen der Arbeit	die Wohnung
die Ankunft auf dem Land	die Kinder während der Arbeit	die Heimatstadt

5. Was bedeuten wohl die folgenden Wörter und Ausdrücke?

Versuchen Sie, ohne Wörterbuch die Bedeutung zu erraten. Arbeiten Sie zu zweit.

in Zeile 3: untergebracht = in ein Zimmer / eine Wohnung gebracht
in Zeile 11: gelassen = ______
in Zeile 13/14: mitbekommen = ______
in Zeile 20/21: schob ... los = ______
in Zeile 24: klaute = ______
in Zeile 28: ergattern = ______
in Zeile 32: stierten = ______
in Zeile 35: fertigte ... an = ______

6. Schreiben Sie den Text kürzer und in Ihren eigenen Worten.

Benutzen Sie dafür die von Ihnen geordnete Themenliste aus Aufgabe 4.

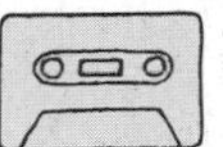

2 37

Meinungen über Geschichte

7. Wer hat was gemeint?

a) Lesen Sie die Äußerungen 1 bis 9 und sehen Sie sich das Foto an. Was glauben Sie: Wer könnte was gesagt haben? Notieren Sie mit Bleistift den Namen bei der entsprechenden Äußerung.

b) Hören Sie, was die jungen Leute über Geschichte denken, und korrigieren Sie, wenn nötig, die Namen, die Sie bei den einzelnen Äußerungen notiert haben.

1. Man muß viel wissen, damit man die Gegenwart besser verstehen kann. __________
2. Geschichte handelt fast nur von Mord und Betrug. __________
3. Ich finde Geschichte interessant, weil man nie weiß, wie's weitergeht. __________
4. Alles längst vergangene Sachen! Gar nicht interessant! __________
5. Ich bin neugierig. Ich möchte wissen, wie die Menschen früher gelebt haben. __________
6. Geschichte gehört zu uns selbst. Man muß damit leben. __________
7. Geschichtliches Wissen kann helfen, eine bessere Zukunft zu bauen. __________
8. Niemand hat aus der Geschichte gelernt. Das kann man jeden Tag in den Nachrichten hören. __________
9. Vergangenes kann man nicht mehr verbessern. Ich kümmere mich lieber um die Gegenwart. __________

8. Wie ist die Meinung in Ihrem Kurs?

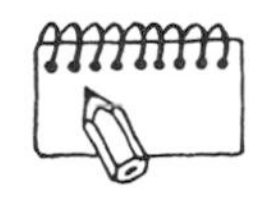

Schreiben Sie Fragen zum Thema „Geschichte" auf. Arbeiten Sie zuerst zu zweit oder zu dritt. Machen Sie dann aus den Fragen der einzelnen Gruppen einen Fragebogen, den alle ausfüllen.
Werten Sie die Antworten gemeinsam aus und schreiben Sie zum Schluß einen Bericht.

§ 19

Eine	Kursteilnehmerin Schülerin	glauben denken sagen behaupten der Meinung sein meinen finden der Ansicht sein	, daß ...
Ein	Kursteilnehmer Schüler		
Ein paar Einige Viele Fast alle Die meisten	Kursteilnehmer Kursteilnehmerinnen Schüler Schülerinnen		

Ich finde, daß man mehr über die Geschichte der Hexen wissen sollte.
anno 800
1815
1969

3

Theater

Im 17. und 18. Jahrhundert gab es im Gebiet des heutigen Deutschland über hundert Königreiche und Herzogtümer, und jedes hatte sein eigenes Hoftheater. Im 19. Jahrhundert begannen auch die Bürger in den Städten, Theater zu gründen. Heute gibt es deshalb in Deutschland sehr viele Theater, und fast alle bekommen Geld von den Gemeinden und den Bundesländern – insgesamt über zwei Milliarden Mark. Im Durchschnitt sind die Ausgaben eines Theaters fünfmal so groß wie die Einnahmen aus dem Verkauf von Eintrittskarten.
Die meistgespielten Theaterautoren sind Shakespeare, Schiller, Goethe, Shaw, Brecht und Molière. Avantgardistische Stücke werden vor allem von kleinen Studiobühnen gebracht. Von den heutigen deutschsprachigen Autoren sind Rolf Hochhuth, Tankred Dorst, Botho Strauß und Franz Xaver Kroetz am bekanntesten.

Museen

In Deutschland gibt es über 3000 Museen verschiedenster Art. Es sind Staatsgalerien oder Privatsammlungen, Schatzkammern oder Schloßmuseen – oder Freilichtmuseen, die die ländliche Wohn- und Hauskultur zeigen. Es gibt viele Kunstmuseen, darunter die „Alte Pinakothek" in München oder die Gemäldegalerie in Berlin, es gibt Museen zu Geschichte und Volkskunde, zum Beispiel das Völkerkundemuseum in Berlin oder das Germanische Nationalmuseum in Nürnberg, und es gibt zahlreiche Spezialsammlungen, wie z.B. das Brotmuseum in Ulm oder das Spielzeugmuseum in Nürnberg.
Eines der berühmtesten Museen in Deutschland ist das Deutsche Museum in München. Jedes Jahr kommen mehr als eine Million Besucher, um die hier ausgestellten Originale und Modelle aus der Geschichte der Naturwissenschaften und der Technik zu sehen.

Festspiele

Musikfestspiele sind Höhepunkte im Kulturleben einer Stadt. Sie haben vor allem in Deutschland und Österreich eine lange Tradition. Berühmt sind die Wagner-Festspiele in Bayreuth und die Salzburger Festspiele, wo vor allem Mozart und die deutschen Klassiker aufgeführt werden.

9. Erzählen Sie etwas über Ihren letzten Kino-, Konzert- oder Theaterbesuch.

Ich war mit ... im ...   Es war ...

Musik

Zu keiner Zeit hat es so viel Musik und so viele Musikhörer gegeben wie heute. Das betrifft nicht nur die „Musikkonserven" auf Kassette, Schallplatte oder CD; heute hören auch mehr Leute als je zuvor „lebendige" Musik. Es müssen nicht immer die Berliner Philharmoniker sein; auch in mittleren und kleinen Städten kann man gute Konzertabende und Opernaufführungen erleben.
Nicht nur klassische Musik findet ihre Hörer: In München und Frankfurt füllen die Jazzfans „ihre" Lokale, und Rock- und Popkonzerte ziehen Tausende von jugendlichen Zuhörern an. Und es bleibt nicht beim Zuhören: In jedem größeren Dorf übt ein Gesangverein oder eine Blasmusik, fast jedes Gymnasium hat seine Schülerband, und in manchen Familien wird auch heute noch klassische oder volkstümliche Hausmusik gemacht.

Ballett

Von den weit über tausend Ballettänzerinnen und -tänzern, die in der Bundesrepublik arbeiten, sind mehr als die Hälfte Ausländer. Sie tanzen hauptsächlich das klassische Repertoire; die neuen Inszenierungen, die auch gezeigt werden, sind bei weitem nicht so gut besucht. Am berühmtesten sind zur Zeit wohl das Stuttgarter und das Hamburger Ballett.

Kino

In den Zwanziger Jahren war das deutsche Kino weltberühmt, aber der Nationalsozialismus trieb eine ganze Generation von Regisseuren in die Emigration. Auch nach dem zweiten Weltkrieg entstanden in Deutschland zunächst kaum Filme mit künstlerischer Bedeutung.
Im Februar 1962 erklärten dann 26 junge Filmemacher, daß sie den „neuen deutschen Film" schaffen wollten: kritisches Kino mit politischem Engagement. Das 1965 gegründete *Kuratorium Junger Deutscher Film* förderte die jungen Filmautoren finanziell.
Die älteren Leute bleiben heute lieber zu Hause: Etwa 80 Prozent aller Kinobesucher sind zwischen 14 und 29 Jahre alt. Noch immer sind amerikanische Filme am erfolgreichsten; aber auch einige deutsche Filme brachten schon Rekordeinnahmen.

10. Was ist in Ihrem Land gleich, ähnlich oder ganz anders?

Lösen Sie die Aufgabe allein oder zu zweit schriftlich. Vergleichen Sie dann in der Klasse.

20. Int. Motorrad Ausstellung
Drehleier
KRONE
Das 2. Programm der Winterspielzeit

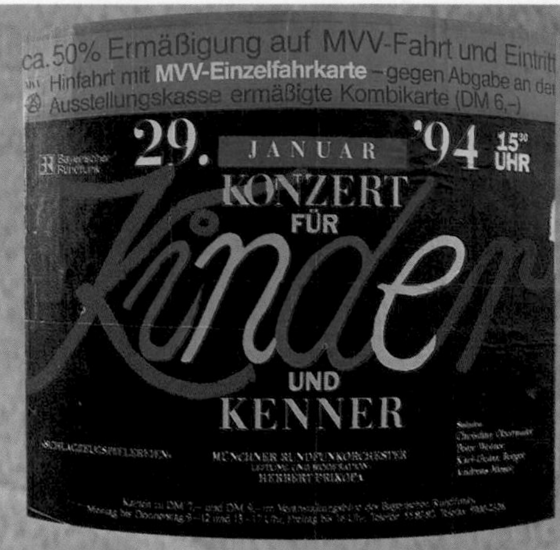
ca. 50% Ermäßigung auf MVV-Fahrt und Eintritt
Hinfahrt mit MVV-Einzelfahrkarte – gegen Abgabe an der Ausstellungskasse ermäßigte Kombikarte (DM 6,–)
29. JANUAR '94 15.30 UHR
KONZERT FÜR
Kinder
UND
KENNER
MÜNCHNER RUNDFUNKORCHESTER
HERBERT PRIKOPA

Jazz
Andrew Cyrille Trio
James Newton (flute)
Santi Debriano (bass)
Andrew Cyrille (drums)
So., 27. Februar 1994
20.00 Uhr

Muffathalle
Februar 2
01. 2. RANDY CRAWFORD
13. 2. SOULCATS & DJ MIKE THE M.C.
3/4/5.2. JANGO EDWARDS
10.2. CHRISTY MOORE
17/18.2. RINGSGWANDL SOLO
08.2. CARCASS supp. Treponem Pal
09.2. RED SKY COVEN & JOOLZ
21. 2. MECCA NORMAL
02.2. TOSHINORI KONDO & IMA & Kodo-Trommler
1.3.–8.3. ANTIGONE
24.2. SPYRO GYRA
22.2. TITO NIEVES & ORQUESTRA
11. 2. GRUPO IRAZU & DJ Alberto
14. 2. JAMAICAN REGGAE CARNEVAL
23. 2. KICK OUT THE JAMS PETER AND THE TEST TUBE BABIES
12. 2. BEATLEMANIA
15. 2. KEHRAUS
MUFFAT HALLE

ANTIKA
KUNST & ANTIQUITÄTEN
26.-30. Januar '94
Forum der Technik
Deutsches Museum
München

MÜNCHNER KINO
Do. 27.1.
Mi. 02.2.

UNTERM FALLSCHIRM
Satire Kabarett KleinKUNST
Abonnement 1994/I
Montag, 21. Februar 1994, 20 Uhr
Montag, 14. März 1994, 20 Uhr
Montag, 18. April 1994, 20 Uhr
Montag, 9. Mai 1994, 20 Uhr
IM BÜRGERHAUS ECHING

VOM 1. BIS 28. FEBRUAR
Das zweite Programm der Winterspielzeit
Werktags um 20 Uhr - mittwochs, freitags und samstags um 15 und 20 Uhr
sonntags nur um 14.30 und 18.30 Uhr
KRONE-ZOO nur sonntags von 10 bis 18 Uhr
Marsstraße 43 · München 2 · Tel. 558166 · S-Bahn Hackerbrücke

11. Schreiben und spielen Sie Dialoge zu den Veranstaltungen auf Seite 110.

Benutzen Sie die folgenden Sätze, Wendungen und Wörter. Arbeiten Sie zu zweit. Natürlich können Sie auch Dialoge zu Veranstaltungen spielen, die Sie wirklich gesehen haben.

Einladungen

Ich habe zwei | Karten / Freikarten | für …
Kommst du / Kommen Sie mit?
Hast du / Haben Sie Zeit, mitzukommen?

Ja, | natürlich. / selbstverständlich. / klar.
Wann | ist das denn? / fängt das denn an?
Was | gibt es denn genau? / spielen die denn? / steht denn auf dem Programm?

Es gibt / Die spielen / Auf dem Programm steht … von … mit …

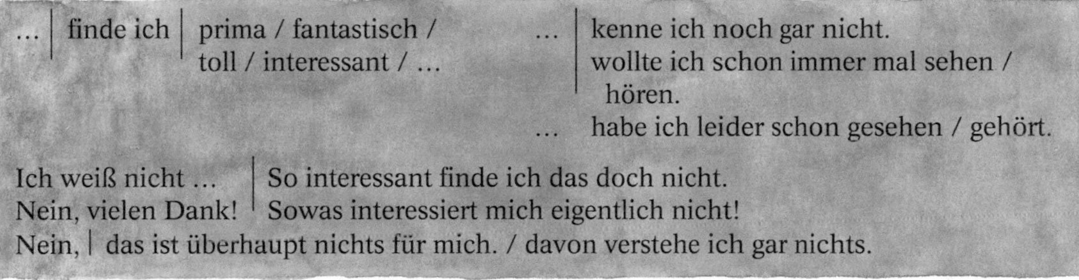

… | finde ich | prima / fantastisch / toll / interessant / …

… | kenne ich noch gar nicht. / wollte ich schon immer mal sehen / hören.

… habe ich leider schon gesehen / gehört.

Ich weiß nicht … / Nein, vielen Dank! | So interessant finde ich das doch nicht. / Sowas interessiert mich eigentlich nicht!

Nein, | das ist überhaupt nichts für mich. / davon verstehe ich gar nichts.

Bewertung, Kritik

Na, wie | findest du / finden Sie das? / hat es dir / Ihnen gefallen? / war's?

Na, was sagst du / sagen Sie dazu?

Es war | einfach / total / absolut / ganz | fantastisch / toll / herrlich / wunderbar

Ich bin vollkommen begeistert!
Sowas habe ich noch nie erlebt!
Das hat richtig Spaß gemacht!

Einiges fand ich gut, anderes überhaupt nicht!
Es hat sich nicht gelohnt.
Es war | alles ziemlich langweilig. / wenig, nichts | Neues. / ganz schlecht.

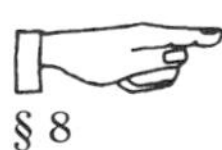

§ 8

Na ja, | es | ging so. / war | ziemlich mittelmäßig. / nichts Besonderes. / teils teils.

So ein | Blödsinn! / Unsinn! / Quatsch!

Und was meinst du / meinen Sie? Bist du / Sind Sie auch meiner Meinung?

5

Faust

Die berühmteste Dichtung in deutscher Sprache wurde vom berühmtesten deutschen Dichter geschrieben: Goethes „Faust". An diesem Werk arbeitete Goethe fast sein ganzes Leben lang. Wahrscheinlich war er schon im Jahre 1772 damit beschäftigt, und er schrieb bis zu seinem Tod daran weiter. Als Buch erschien der erste Teil der Tragödie 1808, der zweite Teil erst nach Goethes Tod, im Jahre 1832.

Goethe hat die Geschichte des Dr. Faustus nicht selbst erfunden. Ein Mann mit dem Namen Faust hat wirklich gelebt, in Süddeutschland, etwa dreihundert Jahre vor Goethe. Er trat als Zauberer und Wahrsager in vielen Städten auf und war schon berühmt, als er noch lebte. Bald wurden über ihn Zaubergeschichten erzählt, die in Wirklichkeit gar nichts mit ihm zu tun hatten, sondern viel älter waren. Daraus entstand schließlich die Faustsage, die nach seinem Tod in vielen Büchern beschrieben wurde.

Die Faustsage wurde auch in anderen Ländern bekannt. Im Jahre 1589 schrieb der Engländer Christopher Marlowe ein Theaterstück darüber, das auch in Deutschland gespielt wurde. (Goethe sah dieses Stück als Fünfjähriger in einem Puppentheater.) Faust wird hier als ein Mann gezeigt, der alle Geheimnisse der Welt verstehen möchte. Die Wissenschaft genügt ihm nicht, er wählt die Magie und schließt mit dem Teufel einen Vertrag: Im Tausch gegen alles Wissen dieser Welt erhält der Teufel nach vierundzwanzig Jahren Fausts Seele.

Auch in Goethes Werk schließt Faust einen Vertrag mit dem Teufel, aber nicht für eine bestimmte Zeit, wie in Marlowes Drama; der Vertrag ist dann erfüllt, wenn der Teufel Faust soviel gezeigt hat, daß dieser damit zufrieden ist.

Mephisto, der Teufel, führt Faust durch alle Bereiche der Welt und läßt ihn vieles erkennen und erfahren, aber als Faust am Ende wirklich sagt, daß er zufrieden sei, kommt seine Seele trotz des Vertrags nicht in die Hölle. In einem Kampf siegen die Engel über Mephisto und tragen Fausts Seele in den Himmel; denn:

Wer immer strebend sich bemüht,
Den können wir erlösen.

Darin unterscheidet sich Goethes Faust von den früheren Faustdichtungen. Früher war Faust immer mit der Hölle bestraft worden, weil er versucht hatte, die Welt und ihre inneren Gesetze zu verstehen; man glaubte, daß dieser Versuch eine Sünde sei, weil nur Gott alles verstehen könne.

Auch nach Goethe haben viele Dichter über Faust geschrieben, meistens für das Theater. Sehr bekannt wurde Thomas Manns Roman „Doktor Faustus", der die Geschichte in das zwanzigste Jahrhundert verlegt; sein „Faust" ist ein Musiker, der sich an die dunkle Macht des Nationalsozialismus verkauft.

Auch mehrere Faust-Opern entstanden; am häufigsten wird wohl die von Charles Gounod gespielt (die auch unter dem Titel „Margarete" bekannt ist). Aber der „eigentliche" Faust ist und bleibt Goethes Werk.

12. Ordnen Sie zu.

1	Als Kind sah Goethe das Faust-Drama	A	an dieser Tragödie.
2	Der Roman „Doktor Faustus"	B	des Engländers Christopher Marlowe.
3	Der zweite Teil von Goethes „Faust"	C	erschien erst 24 Jahre nach dem ersten Teil.
4	Die berühmteste aller Faust-Dichtungen	D	fand Faust in allen Büchern ein böses Ende.
5	Faust tauscht seine Seele	E	gegen die Geheimnisse der Welt.
6	Faust, ein Zauberer und Wahrsager,	F	ist ein Werk Thomas Manns.
7	Goethe arbeitete fast sein ganzes Leben lang	G	sind mehrere Opern geschrieben worden.
8	In Goethes Faust	H	stammt von Goethe.
9	Schon vor Goethes Zeit gab es Bücher	I	über Doktor Faust.
10	Über die Faust-Sage	J	wird Fausts Seele gerettet.
11	Vor Goethes Zeit	K	wurde schon vor seinem Tod berühmt.

Erfolgsrezept für junge Schriftsteller

Vielleicht haben Sie sich schon gefragt, wie die Autoren von Romanen, Filmdrehbüchern, Theaterstücken oder Fernsehserien immer auf die tollen Ideen für ihre Stoffe kommen. Nun, in Wirklichkeit ist das ganz einfach: Man braucht nur ein paar Wortlisten und zwei Würfel. Sie können es einmal mit Ihrem Nachbarn ausprobieren.

Sie haben unten 9 Listen mit je 11 Wörtern, die von 2 bis 12 durchnumeriert sind. Für jede Liste müssen Sie einmal mit beiden Würfeln würfeln; Sie erhalten dann eine Zahl zwischen 2 und 12. Schreiben Sie sich das entsprechende Wort auf.

Wenn Sie z.B. folgende Zahlen gewürfelt haben:

10 4 2 8 10 5 4 11 12

dann erhalten Sie die Wörter:

neugierig Lehrerin Brille Gras Ring finden Konferenz Chef erschießen

Nun brauchen Sie nur noch ein paar Artikel und Präpositionen hinzuzufügen, und schon haben Sie die Grundidee für eine spannende Handlung, die Sie den anderen Kursteilnehmern vorstellen:

»Meine Geschichte handelt von einer neugierigen Lehrerin mit Brille, die im Gras einen Ring findet und auf einer Konferenz ihren Chef erschießt.«

Wählen Sie von allen Geschichten, die vorgestellt werden, die schönste aus und schreiben Sie dazu in Gruppen oder zu Hause eine vollständige Geschichte. Je ungewöhnlicher die Idee ist, desto spannender wird die Geschichte und umso größer der Erfolg! Das Beispiel oben könnte etwa so anfangen:

Der Ring im Gras

Die Sonne stand schon tief, als Vera Blümlein an diesem Herbstnachmittag das Haus ihrer Freundin Elisabeth verließ. Während sie den Garten vor dem Haus durchquerte, bemerkte sie plötzlich einen kleinen Gegenstand im Gras, auf den das letzte Sonnenlicht fiel. Neugierig hob sie das Ding auf ...

LISTE 1	LISTE 2	LISTE 3
2 blind	*2 Lehrling*	*2 Brille*
3 arm	*3 Fußgänger*	*3 Erklärung*
4 dünn	*4 Lehrerin*	*4 Fahrrad*
5 höflich	*5 Autofahrer*	*5 Bart*
6 konservativ	*6 Zahnarzt*	*6 Bauch*
7 zuverlässig	*7 Feuerwehrmann*	*7 Zahnschmerzen*
8 kräftig	*8 Verbrecher*	*8 Beziehungen*
9 sympathisch	*9 Geschäftsfrau*	*9 Charakter*
10 neugierig	*10 Briefträger*	*10 Hut*
11 still	*11 Ausländer*	*11 Führerschein*
12 krank	*12 Hausfrau*	*12 Diplom*

LISTE 4	LISTE 5	LISTE 6
2 Parkplatz	*2 Tasche*	*2 bekommen*
3 Garderobe	*3 Geldschein*	*3 gewinnen*
4 Lift	*4 Einschreiben*	*4 verlieren*
5 Hafen	*5 Hammer*	*5 finden*
6 Campingplatz	*6 Markstück*	*6 suchen*
7 Ausländeramt	*7 Schachtel*	*7 stehlen*
8 Gras	*8 Handschuh*	*8 aufheben*
9 Mauer	*9 Taschentuch*	*9 kriegen*
10 Einwohnermeldeamt	*10 Ring*	*10 mitnehmen*
11 Toilette	*11 Knopf*	*11 verkaufen*
12 Küste	*12 Nachricht*	*12 vergessen*

LISTE 7	LISTE 8	LISTE 9
2 Nebel	*2 Partner*	*2 schlagen*
3 Fest	*3 Zeuge*	*3 überraschen*
4 Konferenz	*4 Bürgermeister*	*4 begrüßen*
5 Öffentlichkeit	*5 Vermieter*	*5 treffen*
6 unterwegs	*6 Mitarbeiter*	*6 beleidigen*
7 Gewitter	*7 Pferd*	*7 beobachten*
8 Abendessen	*8 Bundeskanzler*	*8 töten*
9 Versammlung	*9 Geschäftsmann*	*9 verletzen*
10 Rückkehr	*10 Besitzer*	*10 mißverstehen*
11 Wirtschaft	*11 Chef*	*11 kennenlernen*
12 nachher	*12 Politiker*	*12 erschießen*

Aus Goethes Faust

Der Tragödie erster Teil

2 38

Nacht

In einem hochgewölbten, engen gotischen Zimmer.
Faust unruhig auf seinem Sessel am Pulte.

FAUST. Habe nun, ach! Philosophie,
Juristerei und Medizin
Und leider auch Theologie
Durchaus studiert, mit heißem Bemühn.
Da steh ich nun, ich armer Tor!
Und bin so klug als wie zuvor;
Heiße Magister, heiße Doktor gar,
Und ziehe schon an die zehen Jahr
Herauf, herab und quer und krumm
Meine Schüler an der Nase herum –
Und sehe, daß wir nichts wissen können!
Das will mir schier das Herz verbrennen.
Zwar bin ich gescheiter als alle die Laffen,
Doktoren, Magister, Schreiber und Pfaffen;
Mich plagen keine Skrupel noch Zweifel,
Fürchte mich weder vor Hölle noch Teufel –
Dafür ist mir auch alle Freud entrissen,
Bilde mir nicht ein, was Rechts zu wissen,
Bilde mir nicht ein, ich könnte was lehren,
Die Menschen zu bessern und zu bekehren.
Auch hab ich weder Gut noch Geld,
Noch Ehr und Herrlichkeit der Welt;
Es möchte kein Hund so länger leben!
Drum hab ich mich der Magie ergeben,
Ob mir durch Geistes Kraft und Mund
Nicht manch Geheimnis würde kund;
Daß ich nicht mehr mit sauerm Schweiß
Zu sagen brauche, was ich nicht weiß;
Daß ich erkenne, was die Welt
Im Innersten zusammenhält…

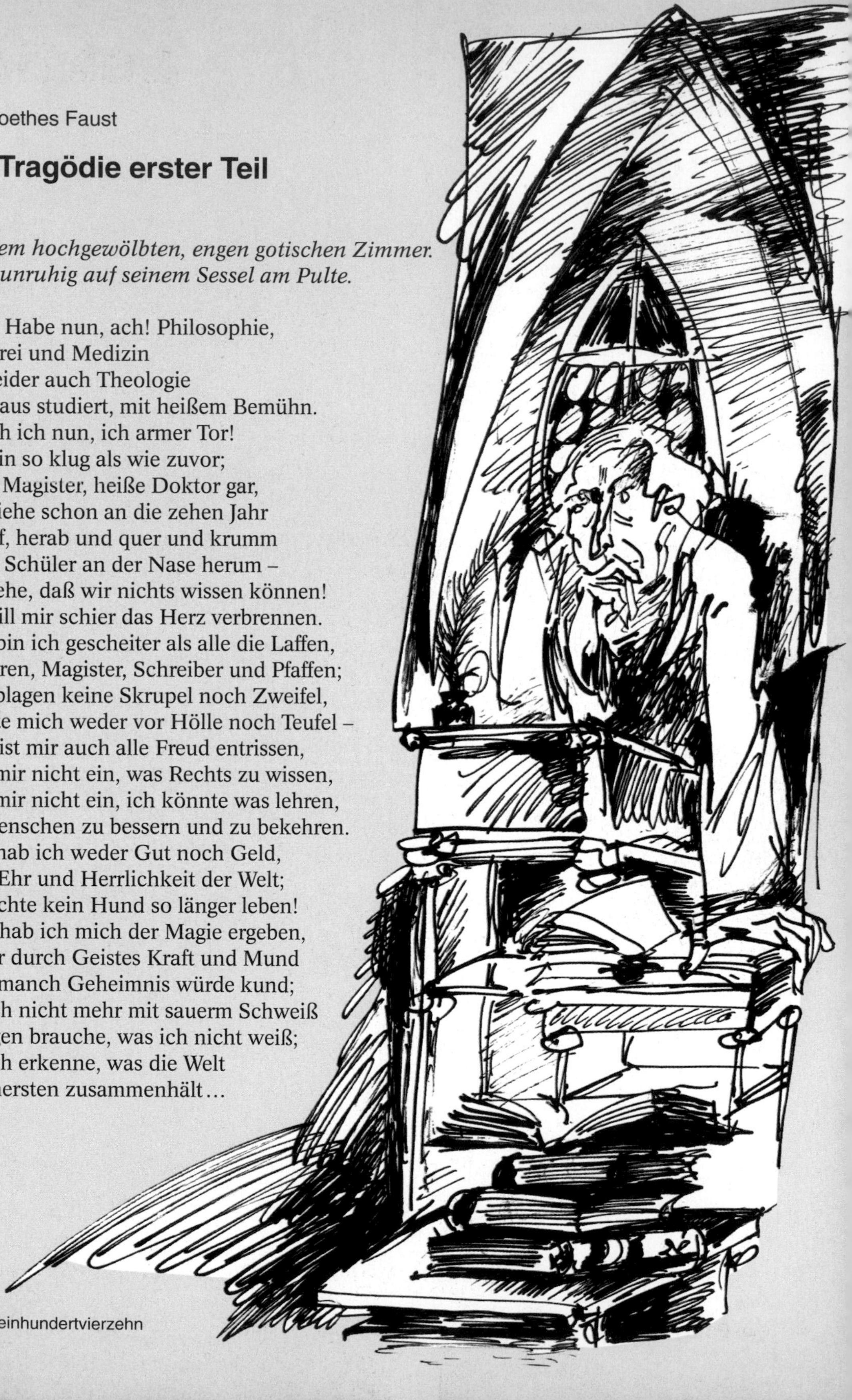

Lektion 10

Die PRÜFUNG

die Bewerber

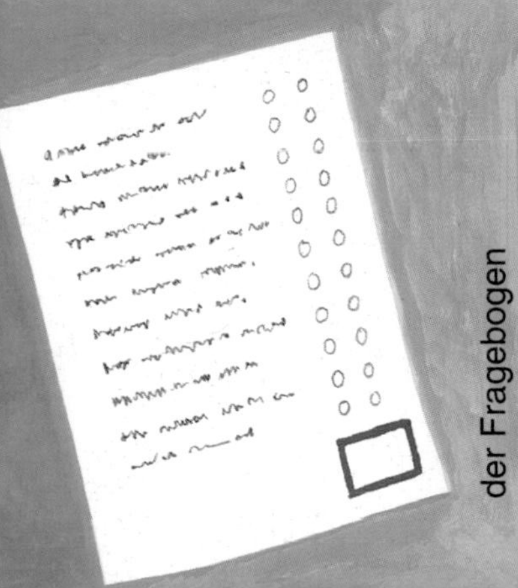
der Fragebogen

die Prüfungsangst
die Vorbereitung

DUDEN
die erlaubten Hilfsmittel

die unerlaubten Hilfsmittel
die schriftliche Prüfung

die mündliche Prüfung

die Punktzahl
96
die Auswertung

nicht bestanden
bestanden

Prüfungen

2 39-46

1. Hören Sie die Situationen auf der Kassette. Zu welchen Bildern passen die Hörtexte?

A zu ___ B zu ___ C zu ___ D zu ___ E zu ___ F zu ___ G zu ___ H zu ___

2. Beschreiben Sie die Prüfungssituationen.

a) Was für Prüfungen finden hier statt?

Meisterprüfung – Lehrerexamen – medizinische Doktorprüfung – Lehrabschlußprüfung – Abitur – Führerscheinprüfung – Gesundheitsprüfung – TÜV –

b) Was wird auf den Bildern gerade gemacht?

c) Aus welchen Teilen bestehen die einzelnen Prüfungen?

eine Doktorarbeit schreiben			Auto fahren
eine	mündliche	Prüfung ablegen	einen handwerklichen Gegenstand herstellen
	schriftliche		Probeunterricht in einer Schulklasse durchführen
	praktische		…

d) Was dürfen die Prüflinge 1–6 tun, wenn sie die Prüfung bestanden haben? Wie dürfen sie sich dann nennen?

eine Werkstatt aufmachen
Lehrlinge ausbilden
studieren
Kranke behandeln
am Gymnasium unterrichten
allein Auto fahren
…

Dr. med.
Meister
Studienrat

3. Berichten Sie: Haben Sie selbst schon eine dieser Prüfungen gemacht? Wie war das?

Amtliche Prüfungsfragen für Führerscheinbewerber

Achtung: Eine oder mehrere Antworten können richtig sein.

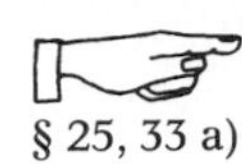

§ 25, 33 a)

1. Wodurch werden nach einem Gewitterschauer die Sichtverhältnisse auf diesem regennassen Straßenabschnitt beeinträchtigt?

- ☐ Durch aufgewirbeltes Wasser von vorausfahrenden Fahrzeugen.
- ☐ Durch Lichtspiegelungen auf der nassen Fahrbahn.
- ☐ Durch den geraden Straßenverlauf.

2. Warum ist das Befahren dieser ungleichmäßig beleuchteten Straße gefährlich?

- ☐ Entgegenkommende Fahrzeuge werden erst spät sichtbar.
- ☐ Schlecht beleuchtete Fahrzeuge sind in den Dunkelfeldern schwer zu erkennen.
- ☐ Fußgänger, die in einem Dunkelfeld die Straße überqueren, können leicht übersehen werden.

3. Wie können Sie ein Kleinkind möglichst sicher in Ihrem Pkw mitnehmen?

- ☐ Auf dem Rücksitz in einem dafür geeigneten Kindersitz.
- ☐ Auf dem Beifahrersitz in einem dafür genehmigten und für das Kind geeigneten Kindersitz.
- ☐ Auf dem Schoß einer vorn sitzenden Person.

4. Was müssen Sie bei diesem verkehrsberuhigten Bereich beachten?

- ☐ Sie dürfen nicht schneller als mit Schrittgeschwindigkeit fahren.
- ☐ Der Fahrzeugverkehr hat gegenüber Fußgängern Vorrang.
- ☐ Sie müssen auf spielende Kinder achten, da überall Kinderspiele erlaubt sind.

5. Für welche Fahrzeuge ist das Befahren einer so beschilderten Straße verboten?

- ☐ Für Fahrzeuge, deren zulässige Achslast 8 t überschreitet.
- ☐ Für Fahrzeuge, deren tatsächliche Achslast 8 t überschreitet.
- ☐ Für Fahrzeuge, deren zulässiges Gesamtgewicht 8 t nicht überschreitet.

6. Womit müssen Sie rechnen?

- ☐ Die Kinder werden erst dann weiterspielen, wenn Sie vorbeigefahren sind.
- ☐ Eines der Kinder könnte umkehren, um den Ball von der Fahrbahn zu holen.
- ☐ Das Kind, das nach rechts gelaufen ist, könnte umkehren, um den Anschluß an die Gruppe zu finden.

4. Welche Fragen und Antworten sind schwer zu verstehen? Warum?

Versuchen Sie, zusammen mit Ihrem Nachbarn einfachere Formulierungen zu finden.

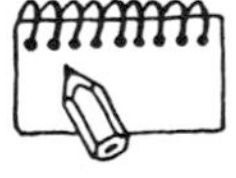

Warum ..., wenn ...? – Weil ...

Fahrzeuge,	die ...,	dürfen		...
Fußgänger,		müssen		
Kinder,		kann	man	
...		muß		

Welche Fahrzeuge dürfen ... nicht ...? – Fahrzeuge, die ...

PSYCHO-TEST

1

Sie sind zu einer Party eingeladen. Beginn ist 20.00 Uhr. Wann treffen Sie normalerweise ein?

a) Pünktlich natürlich. **0**

b) Gegen 21.00 Uhr, wenn alle schon da sind. **6**

c) Aus Rücksicht auf die gestreßten Gastgeber um 20.15 Uhr. **3**

2

Wie feiern Sie Ihren Geburtstag am liebsten?

a) Mit einer großen Party, zu der ich alle Freunde, Bekannten und Kollegen einlade. **6**

b) Am liebsten gar nicht. **0**

c) Ganz romantisch mit meinem Partner. **3**

3

An Ihrem Arbeitsplatz läuft in letzter Zeit leider einiges schief. Sie ...

a) ... ärgern sich zusammen mit den Kollegen darüber. **3**

b) ... organisieren eine Krisensitzung mit allen Kollegen und dem / der Abteilungsleiter/in. **6**

c) ... nehmen erst mal Urlaub. **0**

4

Würden Sie gern mal bei einer Spielshow im Fernsehen als Kandidat/in mitmachen?

a) Nein, solche Shows finde ich furchtbar albern. **3**

b) Oh ja, sehr gern! Das würde mir großen Spaß machen. **6**

c) Zuschauen schon, mitmachen auf keinen Fall. **0**

5

Sie haben eine große Neuigkeit zu verkünden. Wie tun Sie es?

a) Ich platze damit heraus. **3**

b) Ich inszeniere die Verkündung, mache es spannend. **6**

c) Na, ganz normal und ohne großen Aufstand. **0**

6

Betrachten Sie aufmerksam unser Foto. Was für einen Eindruck macht die junge Frau auf Sie?

a) Kokett, ich denke, sie flirtet gerade mit jemandem. **3**

b) Sie macht einen verträumten Eindruck. **0**

c) Sie wirkt sehr selbstbewußt, ist sich ihrer Schönheit sicher. **6**

Stehen Sie gern im Mittelpunkt?

Es gibt Menschen, die blühen erst richtig auf, wenn sie im Rampenlicht stehen. Anderen verschlägt es schon die Sprache, wenn sie in einer großen Gruppe unerwartet auf eine Frage antworten müssen. Ob Sie gern die Hauptrolle spielen, verrät Ihnen unser Test.

7

Fällt es Ihnen leicht, vor einer großen Gruppe zu sprechen?

a) Nein, leider nicht. Deswegen vermeide ich das auch immer. **0**

b) Ja, da laufe ich zur Höchstform auf. **6**

c) Ich reiße mich zwar nicht darum, aber wenn es sein muß, tue ich es. **3**

8

Sie erzählen Ihrer Freundin auf einer Party eine lustige Geschichte, da merken Sie, daß immer mehr Leute zuhören. Sie ...

a) ... schmücken die Geschichte noch extra etwas aus. **6**

b) ... lassen sich nicht beirren und erzählen einfach völlig ungerührt weiter. **3**

c) ... fangen an zu stottern und werden rot. **0**

Zählen Sie nun bitte Ihre Punkte zusammen. Und lesen Sie die Testauswertung auf der nächsten Seite!

0 bis 13 Punkte
Es verunsichert Sie sehr, wenn alle Aufmerksamkeit plötzlich auf Sie gerichtet ist. Die Angst davor, sich lächerlich zu machen, verschlägt Ihnen dann erst mal die Sprache. Deswegen scheuen Sie sich davor, in einer großen Gruppe das Wort zu ergreifen. Auch wenn jemand Ihnen zusieht, geraten Sie aus dem Konzept. Warum befürchten Sie, den Erwartungen der anderen nicht gerecht zu werden? Dazu gibt es wirklich keinen Grund. Ihre Mitmenschen kochen auch nur mit Wasser und haben mehr Verständnis für Ihre Unsicherheiten, als Sie glauben. Zwingen Sie sich öfter mal, vor mehreren Leuten zu sprechen. So werden Sie sicher bald souveräner.

14 bis 31 Punkte
Sie drängeln sich nicht darum, im Mittelpunkt zu stehen, was aber nicht bedeutet, daß Sie es nicht ab und zu gern tun. Für Ihren „Auftritt" brauchen Sie nur das richtige Umfeld, sonst ist Ihr Lampenfieber zu stark, als daß Sie ihn genießen könnten. Von allen bewundert zu werden, macht Ihnen erst dann so richtig Spaß, wenn Sie auch davon überzeugt sind, daß Sie es verdient haben. Und zwar nicht durch Koketterie und leere Sprüche, sondern durch eine tolle Leistung. Sie nehmen dabei immer viel Rücksicht auf andere, so daß keiner das Gefühl hat, Sie glänzen auf seine Kosten. Deswegen ist Ihnen der „Beifall" Ihrer Mitmenschen auch stets sicher.

32 Punkte und mehr
Am wohlsten fühlen Sie sich, wenn Sie Mittelpunkt des Interesses sind und andere neben Ihnen verblassen. Dann sind Sie voll in Ihrem Element! Die Kunst, sich selbst in Szene zu setzen, beherrschen Sie perfekt. Ihr Selbstbewußtsein braucht den Beifall Ihrer Mitmenschen. Dabei merken Sie aber oft gar nicht, daß Ihnen Ihre Zuhörer nicht nur wohlgesonnen sind. Denn dadurch, daß Sie unbedingt im Blickpunkt stehen möchten, sind Sie manchmal rücksichtslos gegenüber Bekannten und Freunden. Die werden natürlich ärgerlich, wenn sie in Ihrer Gegenwart einfach nicht zu Wort kommen. Nehmen Sie ein bißchen mehr Rücksicht.

5. Lesen Sie die Testfragen.

a) Welche Testfragen behandeln
- das Verhalten der Testperson in typischen Situationen?
- die Vorlieben, Wünsche oder Träume der Testperson?
- die Einschätzung anderer Personen durch die Testperson?

b) Welcher Ergebnistext zeigt die sympathischste Persönlichkeit? Was macht diese Persönlichkeit sympathisch?

c) Welche Sätze enthalten eine Beschreibung des Charakters? ... eine Beschreibung des Verhaltens? ... eine Kritik? ... einen Rat?

6. Stellen Sie selbst in Gruppen einen Persönlichkeitstest zusammen.

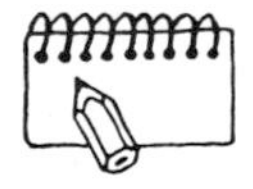

a) Erarbeiten Sie sechs bis acht Testfragen mit je drei möglichen Antworten. (Vielleicht finden Sie in „Themen neu" interessante Bilder oder Zeichnungen, die Sie dafür benutzen können.)

Hier einige Vorschläge für Test-Themen:

Sind Sie tolerant?
Sind Sie selbstsicher?
Sind Sie ein zuverlässiger Freund?
Sind Sie ein guter Verkehrsteilnehmer?
Sind Sie ein mutiger Mensch oder ein Angsthase?
Sind Sie sparsam oder verschwenderisch?
Haben Sie Chancen bei Männern / bei Frauen?

Wie verhalten Sie sich, | wenn ...?
Was würden Sie tun, |
Was sagen Sie, |
Haben Sie | schon einmal ...?
Sind Sie |
Wie oft ...?
Mit wem würden Sie am liebsten ...?
Was drückt dieses Bild aus?
...

b) Schreiben Sie drei Auswertungstexte je nach erreichter Punktzahl.

c) Lassen Sie den Test von den anderen Kursteilnehmern durchführen.

d) Diskutieren Sie anschließend über den Sinn und die Zuverlässigkeit solcher Tests.

Sadistische Rituale

Viele Firmen untersuchen vor einer Einstellung die Psyche der Kandidaten – mit fragwürdigen Methoden.

Bahnticket erster Klasse, Viersternehotel, förmliche Begrüßung – alles war vom Feinsten für die fünf Bewerber um eine freie Stelle bei der VHM-Versicherung. Aber dann ging alles plötzlich ganz schnell: Die Kandidaten sollten möglichst rasch einen Persönlichkeitstest bearbeiten, und damit war auch schon Schluß.

In einem kurzen Einzelgespräch, so berichtet einer der Bewerber, wurde ihm mitgeteilt, daß er nicht eingestellt werde. Grund: Es mangele ihm an Eigenverantwortlichkeit, Offenheit, Gelassenheit und emotionaler Stabilität.

Fälle wie diesen haben die Psychologen Jürgen Hesse und Hans Christian Schrader gesammelt. In ihrem Buch „Das neue Test-Trainings-Programm" kritisieren sie die psychologischen Persönlichkeitstests, die bei Firmen in allen Branchen in Mode gekommen sind. Sie wollen Stellenbewerbern helfen, mit solchen Tests besser fertig zu werden.

Für die Bewerber sind viele dieser Tests eine Qual. Es geht dabei nicht einfach um logisches Denken und um Nervenkraft; nein, die Tests sollen die ganze Tiefe der Persönlichkeit ausleuchten – emotionale Stabilität, Kontaktfähigkeit, Leistungsbereitschaft und Aggressionspotential.

Eine Abiturientin, die sich um eine Ausbildungsstelle zur Industriekauffrau bewarb, wurde nach Problemen in ihrer Pubertät gefragt.

Ein Anwärter für eine Stelle im öffentlichen Dienst erhielt die Aufgabe, die Inschrift für seinen Grabstein zu entwerfen.

Bei einer Fluggesellschaft mußte sich eine Bewerberin fünf Stunden lang testen lassen; anschließend ließ man sie zwei Stunden auf das Bewerbungsgespräch warten. Die erste Frage in diesem Gespräch: „Sind Sie jetzt nervös?"

Für die Autoren Hesse und Schrader sind solche Methoden „Intimschnüffelei, die ganz klar das Verhältnis von Arbeitgeber und Arbeitnehmer übersteigt." Dabei merken viele Bewerber gar nicht, daß es den Testern darum geht, Einblick in ihr Seelenleben zu erhalten. Die meist kurz mitgeteilte Auskunft, daß man für die Stelle nicht in Frage komme, trifft sie dann besonders hart.

Den Personalchefs geht es darum, aus der großen Zahl der Bewerber schnell und risikofrei den herauszufinden, der am besten ins Unternehmen paßt. Experten warnen allerdings vor der unkritischen Testerei. „Die Vorstellung, daß da exakte Daten herauskommen, ist falsche Wissenschaftsgläubigkeit", sagt der Testspezialist Siegfried Grubitzsch.

Auch in der Art, wie die Tests angewandt werden, passieren haarsträubende Dinge. „Sadistische Rituale" nennt Jürgen Hesse das, was manchmal beim Umgang mit unterlegenen Bewerbern zu beobachten ist.

Manche Personalchefs sind offenbar lernfähig. „Immer mehr Unternehmen", sagt Hesse, „begreifen, daß sie Bewerber anständig behandeln müssen." Auch die VHM-Versicherung hat ihren Test abgeschafft, auf Drängen des Betriebsrates. „Wir haben ihn", so die Personalabteilung, „durch einen neuen, besseren ersetzt."

7. Was paßt zusammen?

1	Die Tests dienen dazu,	A	wollen den Bewerbern helfen.
2	Diese Tests	B	wollen die Bewerber nicht mehr auf diese Art testen.
3	Ein Testspezialist	C	schnell den besten Bewerber zu finden.
4	Eine Bewerberin	D	sollen Auskunft über die Persönlichkeit geben.
5	J. Hesse und H. Ch. Schrader	E	warnen vor der Testerei.
6	Manche Personalchefs	F	werden in manchen Firmen nicht korrekt behandelt.
7	Prüfungsexperten	G	wurde fünf Stunden lang getestet.
8	Unterlegene Bewerber	H	glaubt nicht, daß die Tests genaue Resultate liefern.

§ 38, 39

8. Was könnte man tun, wenn man einen solchen Test bearbeiten soll?

... nicht antworten
sich ... erkundigen
gleich ... verzichten
nicht ... teilnehmen
sagen, was man ... hält
sich ... ... beschweren
... keine Auskunft geben
... gar nicht eingehen
den Tester ... hinweisen
den Tester ... überzeugen
sich gut ... vorbereiten

... bitten
... diskutieren
... berichten

um einen anderen Test
über den Test
auf heikle Fragen
darauf, daß solche Tests nicht zuverlässig sind
auf manche der Fragen
auf die Bewerbung
von solchen Tests
über private Dinge
auf solche Tests
am Test
davon, daß der Test nicht zuverlässig ist
in einer Zeitung
mit dem Tester
nach dem Sinn des Tests
beim Betriebsrat

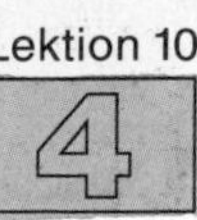

	ja	nein
1. Ich habe die Anleitung gelesen und bin bereit, jeden Satz offen zu beantworten.		
2. Ich bin immer guter Laune.		
3. Ab und zu lache ich über einen unanständigen Witz.		
4. Auch wenn ich mit anderen Leuten zusammen bin, fühle ich mich oft einsam.		
5. Ein Hund, der nicht gehorcht, verdient Schläge.		
6. Zwischen anderen und mir gibt es oft Meinungsverschiedenheiten.		
7. Wenn mich eine Fliege ärgert, bin ich erst zufrieden, wenn ich sie gefangen habe.		
8. Im allgemeinen bin ich ruhig und nicht leicht aufzuregen.		
9. Ich sage nicht immer die Wahrheit.		
10. Mein Motto ist: Vertraue Fremden nie!		

	ja	nein
11. Ich bin im Grunde ein ängstlicher Mensch.		
12. Wenn man zwischen zwei Dingen zu wählen hat, ist es besser, sich schnell zu entscheiden, als sich Zeit zu lassen.		
13. Ich bin gegen mich selber härter als gegen andere.		
14. Ich brauche zwischendurch immer wieder kleine Erholungspausen.		
15. Meine Arbeitsleistungen sind nicht immer gleich.		
16. Manchmal schiebe ich auf, was ich sofort tun sollte.		
17. Man kann sich nur auf sich selbst verlassen.		
18. Es gibt nur wenige Dinge im Leben, die wichtiger sind als Geld.		
19. Es ist zwecklos, gegen den Willen der Vorgesetzten etwas durchsetzen zu wollen.		
20. Ich werde ungeduldig, wenn mir etwas nicht gelingt.		

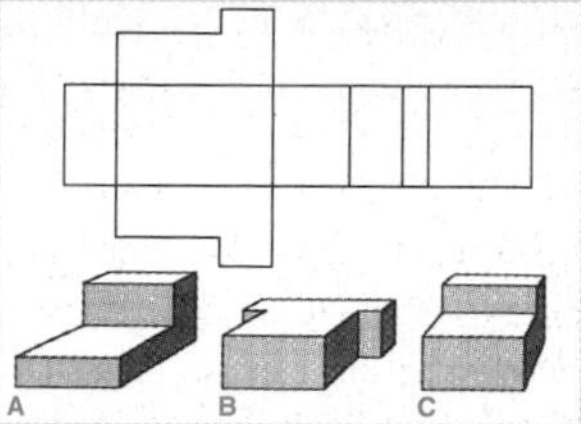

A B C

21. Welche der drei Figuren entsteht aus der Faltskizze? ❑

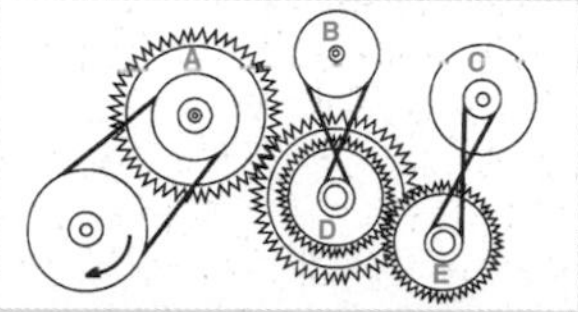

A B C D E

22. Welche Räder drehen sich im Uhrzeigersinn?
❑ ❑ ❑

23. Wie muß die Reihe weitergeführt werden?

a) 7 10 13 16 ?
❑ 17 ❑ 18 ❑ 19

b) 0 1 1 2 3 5 ?
❑ 7 ❑ 8 ❑ 9

c) 24 19 23 21 22 23 ?
❑ 21 ❑ 19 ❑ 24

9. Aus einem Einstellungstest.

Welche der Fragen und Aufgaben sollen Auskunft geben über …

Einstellung zur Arbeit, Fleiß? – Selbstvertrauen? – logisches Denken? – Ehrlichkeit? – Aggressivität? – Phantasie und Kreativität? – Fähigkeit zur Zusammenarbeit? – Verantwortungsbewußtsein? – Karrieredenken? – Zuverlässigkeit?

10. Diskutieren Sie über die Fragen und Aufgaben.

Man kann sich doch gleich denken, was man antworten muß!
Muß man eigentlich über diese Dinge Auskunft geben?
Es ist doch meine Sache, ob ich …
Das geht doch den Arbeitgeber nichts an!
Unter diesen Bedingungen würde ich auf die Stelle verzichten!

Ganz interessant!
Ich weiß nicht, was ich davon halten soll.
Das muß eben sein.
Es kommt darauf an, daß man einen guten Eindruck macht!
Man braucht ja nicht die Wahrheit zu sagen!
Solche Aufgaben löse ich gern.
Da muß man sich halt anstrengen!

11. Nach dem Einstellungstest.

Hören Sie das Gespräch und beantworten Sie die Fragen.

1. Um was für eine Stelle hat Herr Engler sich beworben?
   - ☐ Betriebspsychologe
   - ☐ Professor
   - ☐ Das wird nicht gesagt.
2. Was wurde mit dem Test geprüft?
   - ☐ Seine Persönlichkeit
   - ☐ Seine Gesundheit
   - ☐ Seine Erfahrung
3. Wie fand Herr Engler sich in diesem Test?
   - ☐ Gut
   - ☐ Nicht so gut
   - ☐ Schlecht
4. Wie findet ihn der Personalchef?
   - ☐ Gut
   - ☐ Nicht so gut
   - ☐ Schlecht
5. Was war das Problem für Herrn Engler?
   - ☐ Er konnte die gestellten Aufgaben nicht lösen.
   - ☐ Er wußte nicht, worauf es bei den Aufgaben ankam.
   - ☐ Er ist nicht intelligent genug für die Stelle.

Kummerkasten

Frau Dr. Hiller beantwortet Ihre Anfragen

Prüfungsangst

Leserin: *Mein Problem heißt Prüfungsangst. Dabei weiß ich gar nicht, wovor ich mich fürchte. Meine Eltern trösten mich sogar bei jeder schlechten Note (übrigens habe ich noch nie eine Fünf geschrieben). Aber eigentlich ist das nicht mein einziges Problem. Ich lerne fürchterlich viel. Das hängt natürlich hauptsächlich mit der Prüfungsangst zusammen, zu allem Unglück aber bin ich auch noch ehrgeizig. Ich will in der Schule unbedingt gut sein. Und wenn ich mal schlechter abgeschnitten habe, als ich mir erhofft hatte, dann geht es los: Depressionen und Prüfungsangst. Was soll ich nur tun, damit dies aufhört?*

12. Beantworten Sie den Leserbrief.

Sie könnten sich dabei an die folgenden Abschnitte halten:

1. Abschnitt: Wie wirkt der Leserbrief auf Sie?

Deine Sorgen möchte ich haben!
Ich kann Dein Problem gut verstehen, denn ...

Mein	Sohn	... das genaue Gegenteil ...
Meine	Schwester	... auch ...
	...	

2. Abschnitt: Was könnte die Leserin tun?

Du solltest unbedingt	herausfinden, warum ...
	mit ... sprechen.
	...

An deiner Stelle würde ich ...

3. Abschnitt: Sie hoffen, daß sie eine Lösung findet.

Ich bin	sicher,	daß ...
	überzeugt,	

Hoffentlich ...

Nur für Liebhaber von klopfenden Herzen

Zehn goldene Regeln für Leute, die Aufregung vor Prüfungen lieben.

Manchmal hat man den Eindruck, es gibt Leute, denen es Spaß macht, vor Prüfungen völlig aus dem Häuschen zu geraten – jedenfalls tun sie alles nur irgend mögliche, was zu Prüfungsangst führt. Man kann schlecht glauben, daß nur Unwissenheit und keine Absicht dahintersteckt. Deswegen stehen hier für solche Spannungsliebhaber zehn goldene Regeln. Werden sie wirklich befolgt, dann kann man für eine Prüfungsangst garantieren, die zur internationalen Spitzenklasse zählt.

1 Nimm jede Prüfung dreimal so wichtig, wie sie ist.

2 Träume immer davon, daß du die Prüfung als Bester von allen bestehen wirst.

3 Erzähle auch der Putzfrau und dem Postboten ausführlich von deiner Prüfung – diese Leute haben ein Recht auf dein Seelenleben.

4 Glaube nur denen, die dir erzählen, wie furchtbar schwer die Prüfung sei, die du ablegen mußt.

5 Erzähle allen, du schaffst es doch nicht, und glaube vor allem manchmal selbst daran.

6 Beginne mindestens sechs Wochen vorher, mit leidender Miene herumzulaufen – schließlich muß man sich rechtzeitig auf einen solchen Anlaß vorbereiten.

7 Schiebe dagegen das Lernen möglichst lange hinaus. Drei Tage vorher ist auch noch Zeit.

8 Rauche vor der Prüfung vierzig Zigaretten am Tag, trinke mindestens acht Tassen Kaffee und lutsche Beruhigungstabletten. So kommt man in die richtige Stimmung.

9 Vergiß auch deine lächerliche normale Lebensweise. Lerne bis Mitternacht, wenn es dich sonst schon um acht Uhr ins Bett zieht. Zwinge dich mit eisemem Willen um sieben Uhr aus den Federn, wenn du normalerweise erst um elf Uhr munter wie ein Fisch bist.

10 Laß dir von deinen Mitmenschen so oft wie irgend möglich bestätigen, wie bedauernswert und schrecklich deine Lage ist.

Befolgt man diese Ratschläge, erlebt man vor der nächsten Prüfung sicher mehr an Nervenkitzel und Spannung als bei sämtlichen deutschen Kriminalfilmen und Femsehkrimis zusammen.

13. Formulieren Sie in Gruppen zu jeder der 10 Regeln eine „Gegenregel".

Man	sollte muß …	die Prüfung das Resultat das Lernen …	lieber nicht nicht auf keinen Fall unbedingt	…
		unbedingt vielleicht nicht	versuchen, vermeiden,	… zu …
			allen erzählen,	daß … was …

14. Berichten Sie.

Hatten Sie schon einmal Prüfungsangst? Was haben Sie dagegen getan?

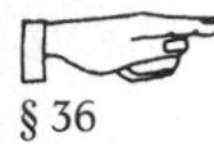

§ 36

Manchmal wünscht man sich drei Köpfe

Wie man für Prüfungen lernt, ohne dabei auch noch den einzigen zu verlieren.

Prüfungen werden nicht dann entschieden, wenn sie abgenommen werden, sondern vorher – jedenfalls zu 90%. Nur ganz selten fällt eine Prüfung besser aus, als ihre Vorbereitungen hätten erwarten lassen.

Die Qualität der Vorbereitung kann man nicht einfach an den Arbeitsstunden messen. Sechs Wochen Lernen können zum Fenster hinausgeworfen sein, wenn man es ungeschickt anstellt – und ein oder zwei Stunden können genügen, wenn man das Richtige tut.

Voraussetzung ist, daß man das Köpfchen gebraucht, und zwar rechtzeitig. Damit sind wir schon beim ersten, was man beachten muß:

Rechtzeitig anfangen.

Je früher man anfängt, desto besser. Natürlich soll man nicht übertreiben, aber diese Gefahr ist sicher gering; normalerweise fängt man viel zu spät an.

Am Anfang der Vorbereitung stehen vier Fragen:

- *Was wird in der Prüfung verlangt?*
- *Was kann ich davon bereits?*
- *Welches Wissen fehlt mir also noch?*
- *Was will und kann ich davon noch lernen?*

Hat man sich das ohne Illusionen, aber auch ohne falschen Pessimismus gefragt, dann versucht man möglichst objektiv zu schätzen, wie lange man für das Lernen braucht. Und die dabei erhaltene Zeit verdoppelt man dann.

Warum verdoppeln? Ganz einfach: Man unterschätzt den Arbeitsaufwand stets erheblich. Außerdem braucht man unbedingt eine Sicherheitsreserve, weil ja bekanntlich immer etwas dazwischenkommt. Zudem soll man vor Prüfungen nicht in höchstem Tempo lernen (womöglich elf Stunden täglich!), denn das ruiniert die Nerven so, daß man sein Wissen nachher gar nicht mehr anbringen kann. Und schließlich muß man mit dem Lernen nicht nur rechtzeitig anfangen, sondern auch das andere tun:

Rechtzeitig aufhören!

Das Hervorholen von Wissen wird nämlich gestört durch Lernprozesse, die erst kurze Zeit vorher stattgefunden haben. Solche Störungen können manchmal sogar ganz erheblich sein.

Lernt man z. B. fünf Minuten vor einer Prüfung noch etwas (oder versucht es wenigstens), so kann es durchaus vorkommen, daß man danach in der Prüfung praktisch nichts mehr weiß von dem Stoff, obwohl man ihn eigentlich schon völlig beherrscht hatte. Das Gehirn ist dann nämlich mit dem Verdauen des zuletzt Gelernten völlig ausgelastet.

Je näher eine Prüfung kommt, desto weiter weg muß man deshalb das Lernmaterial verbannen.

Eiserne Regel für alle schriftlichen Prüfungen (und natürlich auch für größere mündliche): Am Tag der Prüfung wird kein Buch mehr angerührt! Bei größeren Prüfungen sollte man auch am Tag davor nichts mehr tun. Je bedeutender eine Prüfung ist, und je größer das verlangte Wissen, desto früher sollte man mit dem Lernen aufhören.

Dieses Aufhören erfordert natürlich eine gewisse Überwindung. Kurz davor fallen einem ja immer noch so viele Dinge ein, die man unbedingt lernen müßte. Aber das ist Unsinn. Dieses Lernen in letzter Minute bringt nicht nur kaum etwas ein, weil man schon zu nervös ist; es ist auch meist gar nicht mehr so wichtig, wie man sich in seiner Aufregung einbildet. Aber vor allem schadet es viel mehr, als es nützt.

Kurz vor der Prüfung gibt es nur noch eine Tätigkeit, die sinnvoll ist: Nervenkosmetik.

Das wirksamste Mittel, zu verhindern, daß einem am letzten Abend einfällt, was man eigentlich alles noch zu lernen hätte, wurde schon genannt: Man muß sich rechtzeitig fragen:

Was wird verlangt?

Welche Anforderungen in der Prüfung gestellt werden, welcher Stoff verlangt wird, welcher nicht, in welcher Form geprüft wird, wieviel Zeit zur Verfügung steht, welche Hilfsmittel benutzt werden dürfen, usw. – diese Fragen, rechtzeitig gestellt und beantwortet, sparen später am meisten Zeit – und Nerven außerdem, was vielleicht noch wichtiger ist.

15. Vergleichen Sie die Ratschläge zur Prüfungsvorbereitung mit Ihren Regeln.

An welche Ratschläge hatten Sie noch nicht gedacht?
Welche Aussagen des Textes können Sie aus Erfahrung bestätigen?

16. Warum ist es falsch, bis zuletzt zu lernen und zu wiederholen?

Vor dem Examen

Es war nun soweit. Morgen früh sollte er mit seinem Vater nach Stuttgart fahren und dort im Landexamen zeigen, ob er würdig sei, durch die schmale Klosterpforte des Seminars einzugehen. Eben hatte er seinen Abschiedsbesuch beim Rektor gemacht.

„Heute abend", sagte zum Schluß der gefürchtete Herrscher mit ungewöhnlicher Milde, „darfst du nichts mehr arbeiten. Versprich es mir. Du mußt morgen absolut frisch in Stuttgart antreten. Geh noch eine Stunde spazieren und nachher beizeiten zu Bett. Junge Leute müssen ihren Schlaf haben."

Hans war erstaunt, statt der gefürchteten Menge von Ratschlägen so viel Wohlwollen zu erleben, und trat aufatmend aus dem Schulhaus.

[...]

Zerstreut erhob er sich von seinem Sitz und war unschlüssig, wohin er gehen sollte. Er erschrak heftig, als eine kräftige Hand ihn an der Schulter faßte und eine freundliche Männerstimme ihn anredete.

„Grüß Gott, Hans, gehst ein Stück mit mir?"

Das war der Schuhmachermeister Flaig, bei dem er früher zuweilen eine Abendstunde verbracht hatte, jetzt aber schon lang keine mehr. Hans ging mit und hörte dem frommen Pietisten ohne rechte Aufmerksamkeit zu. Flaig sprach vom Examen, wünschte dem Jungen Glück und sprach ihm Mut zu, der Endzweck seiner Rede war aber, darauf hinzuweisen, daß so ein Examen doch nur etwas Äußerliches und Zufälliges sei. Durchzufallen sei keine Schande, das könne dem Besten passieren, und falls es ihm so gehen sollte, möge er bedenken, daß Gott mit jeder Seele seine besondern Absichten habe und sie eigene Wege führe.

[...]

In der Kronengasse begegneten sie dem Stadtpfarrer. Der Schuster grüßte gemessen und kühl und hatte es plötzlich eilig, denn der Stadtpfarrer war ein Neumodischer und stand im Ruf, er glaube nicht einmal an die Auferstehung. Dieser nahm den Knaben mit sich.

„Wie geht's?" fragte er. „Du wirst froh sein, daß es jetzt soweit ist."

„Ja, 's ist mir schon recht."

„Nun, halte dich gut! Du weißt, daß wir alle Hoffnungen auf dich setzen. Im Latein erwarte ich eine besondere Leistung von dir."

„Wenn ich aber durchfalle", meinte Hans schüchtern.

„Durchfallen?!" Der Geistliche blieb ganz erschrocken stehen. „Durchfallen ist einfach unmöglich. Einfach unmöglich! Sind das Gedanken!"

„Ich meine nur, es könnte ja doch sein ..."

„Es kann nicht, Hans, es kann nicht; darüber sei ganz beruhigt. Und nun grüß mir deinen Papa und sei mutig!"

Hans sah ihm nach; dann schaute er sich nach dem Schuhmacher um. Was hatte der doch gesagt? Auf Latein käme es nicht so sehr an, wenn man nur das Herz auf'm rechten Fleck habe und Gott fürchte. Der hatte gut reden. Und nun noch der Stadtpfarrer! Vor dem konnte er sich überhaupt nimmer sehen lassen, wenn er durchfiel.

Aus Hermann Hesse: Unterm Rad

Grammatikübersicht

Nomen

§ 1 Wortbildung: Zusammengesetzte Nomen

② § 2

⚠ die Bank → die Parkbank der Schirm → der Sonnenschirm

a) Nomen + Nomen

der Berggipfel	(der Gipfel des Berges)
die Parkbank	(die Bank im Park)
das Gemüsefeld	(das Feld für Gemüse)

Ebenso:
das Luftschloß, der Dachgarten, das Stadtzentrum, das Traumhaus, das Heimatgefühl …
Aber: die Kirche + der Turm → der Kirchturm

b) Nomen + | -(e)s- / -(e)n- | + Nomen

der Meeresstrand	(der Strand des Meeres)
die Blumenwiese	(die Wiese mit Blumen)
der Sonnenschirm	(der Schirm gegen die Sonne)

Ebenso:
die Verkehrslage, die Wohnungseinrichtung, das Straßenfest, die Bauernmöbel *(Plural)* …

Auch möglich: Nomen + Nomen + Nomen
das Mieterschutzgesetz = das Gesetz zum Schutz der Mieter

c) Verb + Nomen

⚠ wandern + der Weg → der Wanderweg
anlegen + die Stelle → die Anlegestelle

der Wanderweg	(der Weg, auf dem man wandern kann)
die Anlegestelle	(die Stelle, wo man anlegen kann)
das Paddelboot	(das Boot, das man mit einem Paddel vorwärtsbewegt)

d) Adjektiv + Nomen

der Altbau (der alte Bau) die Großstadt (die große Stadt) das Hochhaus (das hohe Haus)

§ 2 Wortbildung: Nomen aus Verben

a) Nomen = Infinitiv eines Verbs

Das Radfahren ist hier verboten.	(Man darf hier nicht radfahren.)
Zum Kochen braucht man einen Herd.	(Mit einem Herd kann man kochen.)
Das Überqueren der Gleise ist verboten.	(Man darf die Gleise nicht überqueren.)
Genitiv (der Gleise)	*Akkusativ* (die Gleise)

b) Nomen = vom Verb abgeleitet

Verb auf -ieren:

___ion *oder* ___ation

die Information	←	informieren
die Reaktion	←	reagieren
die Diskussion	←	diskutieren

___ung

die Meinung	←	meinen
die Beschreibung	←	beschreiben
die Einladung	←	einladen

___nis

das Ergebnis	←	ergeben
die Erkenntnis	←	erkennen

___er *oder* ___erin

der Berater	die Beraterin	←	beraten
der Käufer	die Käuferin	←	kaufen

Nomen = Verbstamm

der Bau	←	bauen
der Wunsch	←	wünschen

der Versuch	←	versuchen
der Vorschlag	←	vorschlagen

⚠ der Flug ← fliegen   der Verlust ← verlieren

§ 3 Wortbildung: Nomen aus Adjektiven

a) Nomen = Adjektiv

der Arme	←	der arme Mann
ein Armer	←	ein armer Mann

die Arme	←	die arme Frau
eine Arme	←	eine arme Frau

② § 3 b)

b) Nomen = Adjektiv + -keit, -heit, -ität

Adjektiv auf -ig, -lich: ___keit

die Schwierigkeit	←	schwierig
die Möglichkeit	←	möglich

andere Adjektive: ___heit

die Schönheit	←	schön
die Freiheit	←	frei
die Krankheit	←	krank

Adjektiv = Fremdwort: ___ität

die Realität	←	real
die Formalität	←	formal
die Anonymität	←	anonym

⚠

die Arbeitslosigkeit	←	arbeitslos
die Süßigkeit	←	süß
die Einsamkeit	←	einsam

Adjektiv

§ 4 Wortbildung: Adjektive aus Nomen

a) Adjektive auf -ig, -lich, -isch *(von Nomen abgeleitet)*

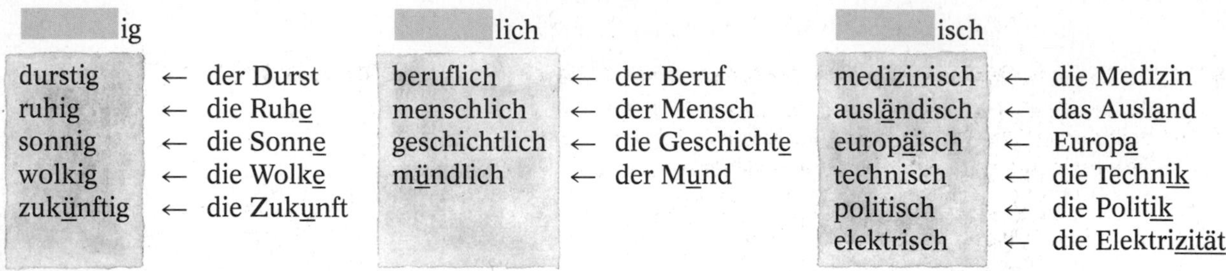

…ig			…lich			…isch		
durstig	←	der Durst	beruflich	←	der Beruf	medizinisch	←	die Medizin
ruhig	←	die Ruhe	menschlich	←	der Mensch	ausländisch	←	das Ausland
sonnig	←	die Sonne	geschichtlich	←	die Geschichte	europäisch	←	Europa
wolkig	←	die Wolke	mündlich	←	der Mund	technisch	←	die Technik
zukünftig	←	die Zukunft				politisch	←	die Politik
						elektrisch	←	die Elektrizität

b) Adjektive auf -los, -voll, -reich *(von Nomen abgeleitet)*

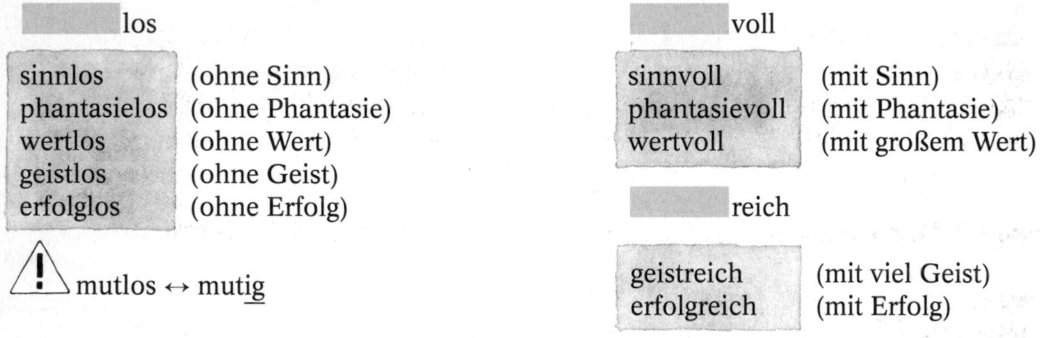

…los	
sinnlos	(ohne Sinn)
phantasielos	(ohne Phantasie)
wertlos	(ohne Wert)
geistlos	(ohne Geist)
erfolglos	(ohne Erfolg)

⚠ mutlos ↔ mutig

…voll	
sinnvoll	(mit Sinn)
phantasievoll	(mit Phantasie)
wertvoll	(mit großem Wert)

…reich	
geistreich	(mit viel Geist)
erfolgreich	(mit Erfolg)

§ 5 Wortbildung: Adjektive aus anderen Wortarten

a) Adjektive aus Verben

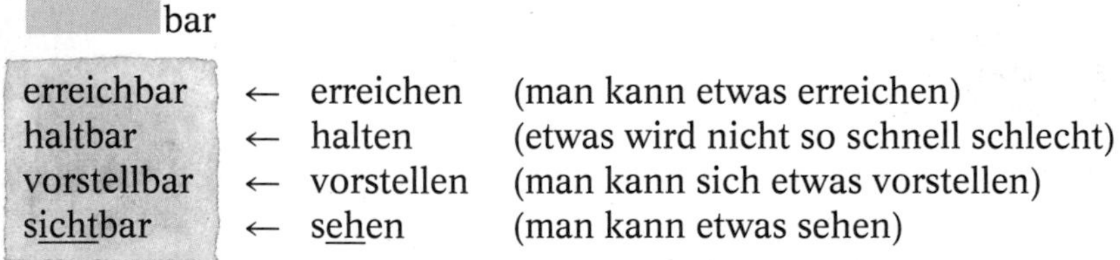

…bar			
erreichbar	←	erreichen	(man kann etwas erreichen)
haltbar	←	halten	(etwas wird nicht so schnell schlecht)
vorstellbar	←	vorstellen	(man kann sich etwas vorstellen)
sichtbar	←	sehen	(man kann etwas sehen)

b) Adjektive aus Adverbien

die	obere	Reihe	←	oben	die	innere	Landkarte	←	innen
die	untere	Reihe	←	unten	der	äußere	Gang	←	außen
das	hintere	Regal	←	hinten	der	rechte	Gang	←	rechts
das	vordere	Regal	←	vorn	die	linke	Seite	←	links

② § 5

§ 6 Wortbildung: Adjektive, die mit „un-“ beginnen

unbekannt	= nicht bekannt	unangenehm	= nicht angenehm
unsicher	= nicht sicher	ungefährlich	= nicht gefährlich
unpersönlich	= nicht persönlich	unvorstellbar	= nicht vorstellbar

§ 7 Attributives Adjektiv nach Null-Artikel, „etwas“/„einige“, „wenig(e)“, „viel(e)“

② § 5

Singular:

Nominativ		*Akkusativ*		*Dativ*		
–	frischer Salat	–	frischen Salat	mit	–	frischem Salat
etwas	gute Wurst	etwas	gute Wurst		etwas	guter Wurst
wenig	feines Brot	wenig	feines Brot		wenig	feinem Brot
viel		viel			viel	

Plural:

Nominativ		*Akkusativ*		*Dativ*		
–	frische Salate	–	frische Salate	mit	–	frischen Salaten
einige	gute Würste	einige	gute Würste		einigen	guten Würsten
wenige	schöne Brote	wenige	schöne Brote		wenigen	schönen Broten
viele		viele			vielen	

§ 8 Nominalisiertes Adjektiv nach Indefinitpronomen „etwas“, „nichts“, „viel“, „wenig“

Hier gibt es	etwas Neues.	(= einige neue Dinge)
	nichts Besonderes.	(= keine besonderen Dinge)
	viel Schönes.	(= viele schöne Dinge)

 *Klein geschrieben:* Das ist etwas anderes.

Pronomen

§ 9 Reziprokpronomen mit Präposition

② § 11

Sie lernen miteinander. ← Er lernt mit ihr, sie lernt mit ihm.

Sie lernen voneinander. ← Er lernt von ihr, sie lernt von ihm.

⚠ miteinander, voneinander, … = *1 Wort!*

§ 10 Generalisierende Relativpronomen

② § 13

Was	braucht man?	Man kann	alles vieles …	bekommen,	was	man braucht.
Was Worüber Wofür	gefällt einem nicht? ärgert man sich? …	Man kann Man sollte	alles vieles …	zurückschicken, kaufen,	was worüber wofür	einem nicht gefällt. man sich ärgert. …

Jeder, der | Einladungen verschiebt, verliert Freunde.
Jede, die |

Wer Einladungen verschiebt, verliert Freunde.

§ 11 Ausdrücke mit „es"

a) „Es" = echtes Pronomen (steht für ein Nomen oder einen Teilsatz)

② § 14

Das Auto fährt. Es fährt. Er sagt nicht, daß er glücklich ist. Er sagt es nicht.

b) „Es" = Subjekt (unpersönliches Pronomen; steht nicht für ein Nomen)

Es ist kalt.	Es klingelt.	Wie wäre es, wenn …?
Es ist dunkel.	Es klappt.	Es ist das erste/letzte Mal, daß …
Es ist laut.	Es dauert lange, bis …	Wie kommt es, daß …?
Es regnet.	Es wird Zeit.	Es kommt darauf an, daß …
Es schneit.	Wie geht es Ihnen/dir?	Es gibt … Es kommt zu …
Es ist Frühling.	Es geht.	Es geht um …
	Es geht los.	Es fehlt an …
	Wie spät ist es? Es ist neun Uhr.	Es muß nicht immer … sein.

c) „Es" = Ersatzsubjekt

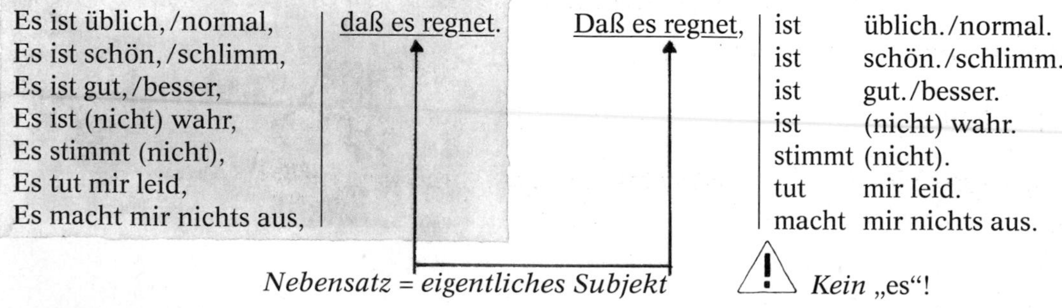

Es ist üblich, /normal,	daß es regnet.	Daß es regnet,	ist	üblich./normal.
Es ist schön, /schlimm,			ist	schön./schlimm.
Es ist gut, /besser,			ist	gut./besser.
Es ist (nicht) wahr,			ist	(nicht) wahr.
Es stimmt (nicht),			stimmt	(nicht).
Es tut mir leid,			tut	mir leid.
Es macht mir nichts aus,			macht	mir nichts aus.

Nebensatz = eigentliches Subjekt

⚠ *Kein „es"!*

d) „Es“ = Akkusativergänzung (unpersönliches Pronomen; steht nicht für ein Nomen)

Wir haben es nicht leicht.	Mach's gut!
Er hat es schwer.	Ich habe es eilig.
Ihr habt es gut.	Ich bin es leid, … zu … *(= Ersatz-Akkusativergänzung)*

e) „Es“ = Ersatzwort im Vorfeld (bei Passivsätzen ohne Subjekt)

Es wird getanzt.
Es wird geschlafen.

Hier	wird	getanzt.
Um neun Uhr	wird	geschlafen.
⇧ *Vorfeld anders besetzt*	⚠ ⇧ *Kein* „es“!	

Präposition

§ 12 Präpositionen

① §15-18
② §15,16

a) Präposition + Nomen

um quer durch	+ *Nomen im Akkusativ*	Er wohnt gleich um die Ecke. Er geht um die Ecke. Wir fahren quer durch die Stadt.
gegenüber entlang nahe bei ab	+ *Nomen im Dativ*	Ich wohne gegenüber dem Park. Entlang dem Fluß gibt es schöne Wege. Die Kirche liegt nahe bei der Fabrik. Ab Karlsruhe nehmen wir die Autobahn.
außerhalb innerhalb aufgrund statt * trotz * während * wegen *	+ *Nomen im Genitiv*	Wir wohnen außerhalb der Stadt. Sie wohnen innerhalb der Stadt. Aufgrund des Wandels gibt es Probleme. Statt des Weihnachtsmanns kommt das Christkind. Faust kommt trotz des Vertrags nicht in die Hölle. Während der Arbeit darf man nicht essen. Wegen der Allergie mußte er aufhören zu arbeiten.

* *in der Umgangssprache auch mit Dativ*

b) Nomen + Präposition

Nomen im Dativ + gegenüber	Ich wohne dem Park gegenüber.

c) Präposition + Nomen + Präposition/Adverb

um + *Nomen im* Akk. + herum	Wir fahren um die Stadt herum.
an + *Nomen im* Dativ + entlang / vorbei	Ich gehe oft am Fluß entlang spazieren. Ich komme oft an der Brücke vorbei.
von + *Nomen im* Dativ + aus	Wir fahren von der Schweiz aus nach Italien.

§ 13 „hin"/„her" + Präposition (Präpositionalpronomen)

Bewegung zum Ziel: „hin"

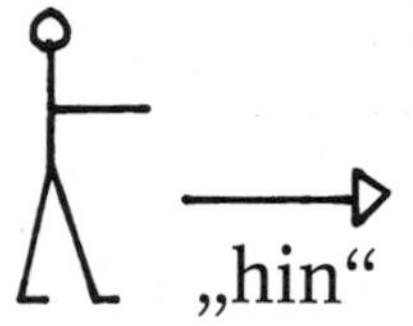

Er steigt auf den Berg.	Er steigt hinauf.
Sie geht unter die Brücke.	Sie geht hinunter.
Wir gehen über die Straße.	Wir gehen hinüber.
Sie ist ins Haus gegangen.	Sie ist hineingegangen.
Er ist aus dem Haus gegangen.	Er ist hinausgegangen.

Bewegung zur Person, die spricht: „her"

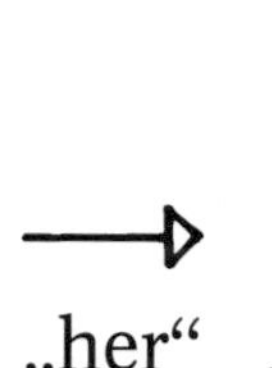

Er kommt auf den Berg.	Er kommt herauf.
Sie kommt vom Berg (herunter).	Sie kommt herunter.
Sie kommen über die Straße.	Sie kommen herüber.
Sie kommt in das Zimmer.	Sie kommt herein.
Er kommt aus dem Haus.	Er kommt heraus.
Er holt das Buch aus der Tasche.	Er holt es heraus.

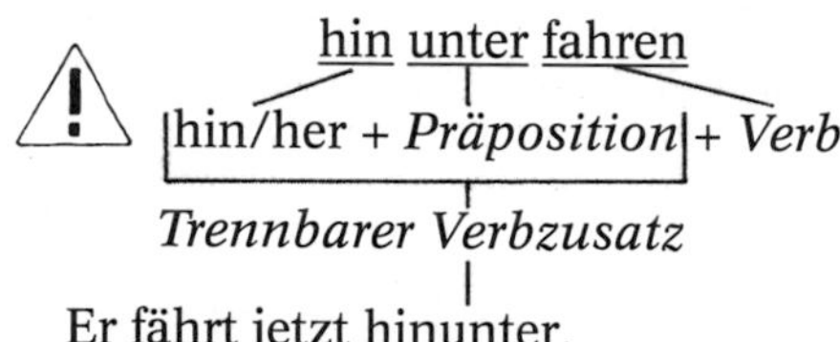

① § 27

§ 14 Nomen und Adjektive mit Präpositionalergänzung + Akkusativ

die Erinnerung	an wen woran
angewiesen sein	auf wen worauf
notwendig sein dankbar sein gültig sein gut sein schlecht sein bekannt sein wichtig sein	für wen wofür

② § 18

§ 15 Nomen und Adjektive mit Präpositionalergänzung + Dativ

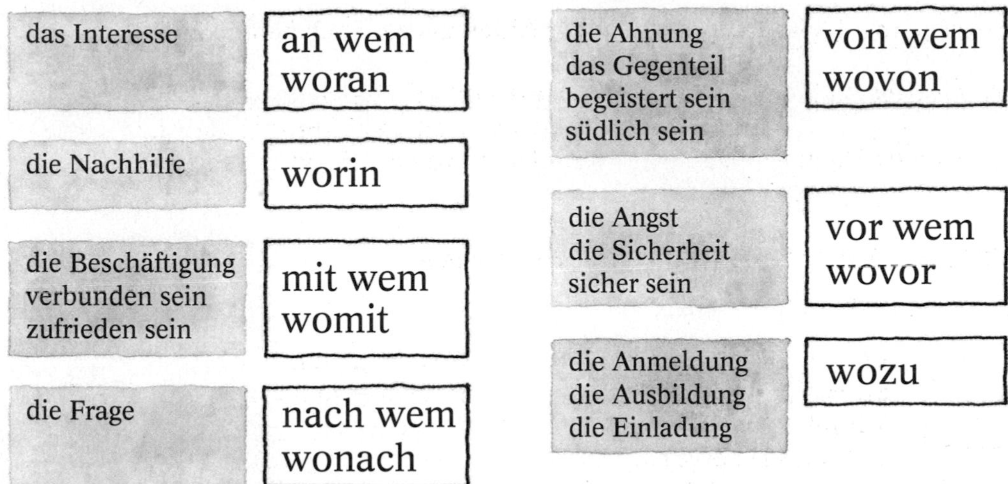

das Interesse	an wem woran	die Ahnung das Gegenteil begeistert sein südlich sein	von wem wovon
die Nachhilfe	worin	die Angst die Sicherheit sicher sein	vor wem wovor
die Beschäftigung verbunden sein zufrieden sein	mit wem womit	die Anmeldung die Ausbildung die Einladung	wozu
die Frage	nach wem wonach		

Verben mit Präpositionalergänzung siehe Liste § 40 und § 41

Verb

§ 16 Futur I

ich	werde machen	wir	werden machen
du	wirst machen	ihr	werdet machen
er/sie/es	wird machen	sie/Sie	werden machen

Futur I = werden + *Infinitiv*

Vorfeld	*Verb$_1$*	*Subjekt*	*Angabe*	*Ergänzung*	*Verb$_2$*
Die Leute	werden		lieber	zu Hause	bleiben.
Dann	werden	sie	wieder	Bücher	lesen.

Vermutung über die Zukunft oder Gegenwart:
Futur I, meistens + „wohl", „vielleicht", …

Ich werde wohl zu Hause bleiben. *(Zukunft)*
Klaus ist nicht da. Er wird (wohl) krank sein. *(Gegenwart)*

Aussage über die Zukunft:
Futur I oder Präsens + Zeitangabe

Ich werde eine Reise machen.
Ich mache nächste Woche eine Reise.

§ 17 Plusquamperfekt

ich	hatte gemacht	war gefahren
du	hattest gemacht	warst gefahren
er/sie/es	hatte gemacht	war gefahren
wir	hatten gemacht	waren gefahren
ihr	hattet gemacht	wart gefahren
sie/Sie	hatten gemacht	waren gefahren

Plusquamperfekt = *Präteritum von* haben / sein + *Partizip II*

§ 18 Gegenwart und Vergangenheit im Text

1945 war die „Stunde Null". Sechs Jahre hatte der Weltkrieg gedauert; über 50 Millionen Menschen waren gestorben.

Jetzt mußten die Frauen allein für sich und ihre Kinder sorgen, denn im Krieg waren viele Männer gefallen, und viele waren noch nicht aus der Kriegsgefangenschaft zurückgekehrt.

Beschreibung von vergangenen Ereignissen und Zuständen:
Präteritum: war, mußten ... sorgen

Beschreibung von Ereignissen und Zuständen, die schon damals vergangen waren:
Plusquamperfekt: hatte ... gedauert; waren ... gestorben; waren ... gefallen; waren ... zurückgekehrt

In den sechziger Jahren entstand eine neue Partei. Diese Partei setzt sich seither für die Umwelt ein. Sie hat vielen Menschen klargemacht, daß wir die Umwelt schützen müssen.

Beschreibung von vergangenen Ereignissen und Zuständen:
Präteritum: entstand

Handlungen, die in der Vergangenheit angefangen haben und die heute noch fortgesetzt werden:
Präsens: setzt sich ... ein

Handlungen, deren Ergebnis heute noch wichtig ist:
Perfekt: hat ... klargemacht

§ 19 Konjunktiv I

a) Formen

	machen	fahren	wollen	müssen	werden	haben
ich	mache	fahre	**wolle**	**müsse**	werde	habe
du	machest	fahrest	wollest	müssest	werdest	habest
er/sie/es	**mache**	**fahre**	**wolle**	**müsse**	**werde**	**habe**
wir	machen	fahren	wollen	müssen	werden	haben
ihr	machet	fahret	wollet	müsset	werdet	habet
sie/Sie	machen	fahren	wollen	müssen	werden	haben

ich	-e
du	-est
er/sie/es	-e
wir	-en
ihr	-et
sie/Sie	-en

sein

sei
seist
sei

seien
seiet
seien

Wenn Konjunktiv I aussieht wie Präsens Indikativ, dann Konjunktiv II:

Ute schreibt, nächstes Mal ~~fahren~~ führen sie und Hans mit dem Zug.

⚠ *Gebrauch:* *sein: alle Formen*
wollen, müssen, können, dürfen, sollen: *1. und 3. Person Singular*
andere Verben: *nur 3. Person Singular; sonst Konjunktiv II statt Konjunktiv I*

b) Funktion

Direkte Rede:

Er sagt:	„Ich fahre."
Er sagte:	„Ich bin gefahren."
Er hat gesagt:	„Ich fuhr."
	„Ich werde fahren."
	„Fahr!"

Indirekte Rede:

Er sagt,	er fahre.
Er sagte,	er sei gefahren.
Er hat gesagt,	er sei gefahren.
	er werde fahren.
	ich solle fahren.

§ 20 Konjunktiv II von starken und unregelmäßigen Verben

② § 20

a) Formen

	kommen	fahren	müssen	rufen	haben	sein	werden
ich	käme	führe	müßte	riefe	hätte	wäre	würde
du	kämst	führst	müßtest	riefst	hättest	wärst	würdest
er/sie/es	käme	führe	müßte	riefe	hätte	wäre	würde
wir	kämen	führen	müßten	riefen	hätten	wären	würden
ihr	kämt	führt	müßtet	rieft	hättet	wärt	würdet
sie/Sie	kämen	führen	müßten	riefen	hätten	wären	würden

ich	-e
du	-(e)st
er/sie/es	-e
wir	-en
ihr	-(e)t
sie/Sie	-en

Konjunktiv II der wichtigsten starken und unregelmäßigen Verben (zum Vergleich mit Präteritum)

Infinitiv	*Konjunktiv II*	*Präteritum*	*Infinitiv*	*Konjunktiv II*	*Präteritum*
sehen:	er sähe	sah	gehen:	er ginge	ging
finden:	er fände	fand	stehen:	er stünde/	stand
geben:	er gäbe	gab		er stände	
nehmen	er nähme	nahm	tun:	er täte	tat
tragen:	er trüge	trug			
schlafen:	er schliefe	schlief	denken:	er dächte	dachte
laufen:	er liefe	lief	bringen:	er brächte	brachte
schreiben	er schriebe	schrieb	wissen:	er wüßte	wußte

⚠ *Schwache Verben:*
Konjunktiv II = Präteritum:

machen:	er machte	machte
sagen:	er sagte	sagte

b) Vergleich: einfacher Konjunktiv II:

Ich <u>wünschte</u> mir ein Schloß, das auf einem Berg <u>läge</u>.

Konjunktiv II mit „würde“:

Ich <u>würde</u> mir ein Schloß <u>wünschen</u>, das auf einem Berg <u>liegen</u> <u>würde</u>.

c) Gebrauch des Konjunktivs II:

- *Modalverben sowie* sein *und* haben:
  Fast immer einfacher Konjunktiv II.

  könnte / müßte / dürfte / wollte / sollte
  wäre / hätte

- *Starke Verben:*
  Bei den häufigsten Verben mit Umlaut einfacher Konjunktiv II;
  sonst Konjunktiv II mit „würde“.

  gäbe / fände / käme / sähe / …
  würde fliegen / würde schwimmen / …

- *Schwache Verben:*
  Fast immer Konjunktiv II mit „würde“.

  würde arbeiten / würde sagen / …

§ 21 Konjunktiv II der Vergangenheit

ich	hätte	gemacht	wäre	gekommen
du	hättest	gemacht	wärst	gekommen
er/sie/es	hätte	gemacht	wäre	gekommen
wir	hätten	gemacht	wären	gekommen
ihr	hättet	gemacht	wärt	gekommen
sie/Sie	hätten	gemacht	wären	gekommen

Konjunktiv II der Vergangenheit =

Konjunktiv II von | haben / sein | *+ Partizip II*

§ 22 Übersicht: „wenn"-Sätze

Wenn Hans die Kuh behält,	bekommt er Milch. wird er Milch bekommen.	*Es ist jetzt oder in der Zukunft möglich.*
wenn + *Präsens* →	*Präsens oder Futur*	
Wenn Hans die Kuh behielte,	bekäme er Milch.	*Es ist jetzt oder in der Zukunft möglich, aber nicht wahrscheinlich.*
wenn + *Konj. II* →	*Konj. II*	
Wenn Hans die Kuh behalten hätte,	hätte er Milch bekommen.	*Es wäre in der Vergangenheit möglich gewesen, ist aber nicht Realität geworden.*
wenn + *Konj. II der Vergangenh.* →	*Konj. II der Vergangenh.*	

§ 23 Passiv

a) Passiv Perfekt Bewegung

sein + *Partizip II* + worden

ich	bin	eingeladen	worden
du	bist	eingeladen	worden
er/sie/es	ist	eingeladen	worden
wir	sind	eingeladen	worden
ihr	seid	eingeladen	worden
sie/Sie	sind	eingeladen	worden

b) Zustandspassiv Zustand

sein + *Partizip II*

② § 21

ich	bin	eingeladen
du	bist	eingeladen
er/sie/es	ist	eingeladen
wir	sind	eingeladen
ihr	seid	eingeladen
sie/Sie	sind	eingeladen

c) Vergleich: Passiv Perfekt und Zustandspassiv

Vorgang/Aktion:	Ich	bin	eingeladen	worden.	= Man hat mich eingeladen.
	Das Kleid	ist	genäht	worden.	= Man hat das Kleid genäht.
Zustand/Resultat:	Ich	bin	eingeladen.		= Ich habe eine Einladung.
	Das Kleid	ist	genäht.		= Das Kleid ist fertig.

⚠ Nicht verwechseln: Das Kleid wird genäht. = Man näht das Kleid jetzt gerade. (Es ist noch nicht fertig.)
Das Kleid ist genäht. = Das Kleid ist fertig.

d) Passiv mit Modalverb

Das Kleid	kann	jetzt	genäht	werden.	= Man kann das Kleid jetzt nähen.
Die Tür	soll	blau	gestrichen	werden.	= Man soll die Tür blau streichen.
Die Lampe	mußte		repariert	werden.	= Man mußte die Lampe reparieren.
Das Fenster	durfte	nicht	geöffnet	werden.	= Man durfte das Fenster nicht öffnen.

§ 24 Übersicht: Funktionen von „werden“

Peter	wird	Ingenieur.		werden + *Nomen*
Peter	wird	älter.		werden + *Adjektiv*
Peter	wird	28.		werden + *Altersangabe*
Peter	wird	Monika	einladen.	werden + *Infinitiv = Futur*
Monika	wird	von Peter	eingeladen.	werden + *Partizip II = Passiv*
Monika	würde	sehr gern	kommen, wenn …	würde + *Infinitiv = Konjunktiv II*

§ 25 Partizip I und II

a) Formen

① § 30

Infinitiv	kaufen	warten	steigen	stehen	kommen	sein
Partizip I	kaufend	wartend	steigend	stehend	kommend	seiend
Partizip II	gekauft	gewartet	gestiegen	gestanden	gekommen	gewesen

Partizip I = *Infinitiv* + d

b) Gebrauch: Partizipien als Adjektive

Partizip I	*Partizip II*
Die Preise steigen.	Die Preise sind gestiegen.
Ich ärgere mich über die steigenden Preise.	Ich ärgere mich über die gestiegenen Preise.
Der Wagen kommt von rechts.	Ich habe den Wagen vollgepackt.
Ich sehe den von rechts kommenden Wagen.	Ich habe einen vollgepackten Wagen.

§ 26 Modalverben

a) Perfekt der Modalverben

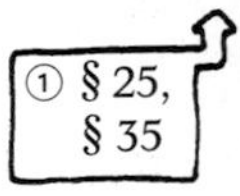
① § 25, § 35

Modalverb als Hilfsverb: Infinitiv

Ich habe das (nicht) tun	wollen.
	sollen.
	dürfen.
	müssen.
	können.
	mögen.
	brauchen.

Ich habe immer die Tafel putzen müssen.

Modalverb als Vollverb: Partizip II

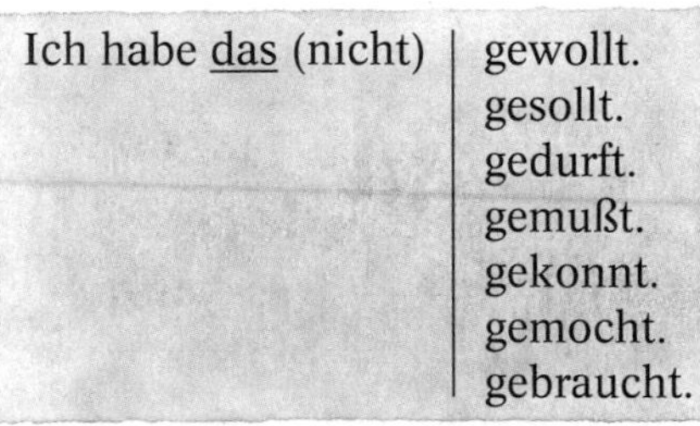

Ich habe das (nicht)	gewollt.
	gesollt.
	gedurft.
	gemußt.
	gekonnt.
	gemocht.
	gebraucht.

Ich habe das auch immer gemußt.

b) „brauchen" *als Modalverb*

ich	brauche	nicht weit	zu fahren.		brauchen +	nicht ...	zu ...
du	brauchst	nichts	einzupacken.			nie ...	
er/sie/es	braucht	kein Hotel	zu bezahlen.			nichts ...	
wir	brauchen	nur zu Hause	zu bleiben.			kein ...	
ihr	braucht					nur ...	
sie/Sie	brauchen					kaum ...	

⚠ *Gehobene Sprache:* Er braucht nicht zu kommen.
Umgangssprache auch: Er braucht nicht kommen.

c) Zum Vergleich: „lassen" *mit Verbativergänzung* ① § 47

Im Fachgeschäft	kann	man sich	beraten	lassen.
Das Gehäuse	läßt	sich	abnehmen.	

d) Bedeutung der Modalverben

		mit Verneinung
Befehl:	Er muß das tun.	
Befehl durch eine andere Person:	Er soll das tun.	
Verbot:		Er darf das nicht tun.
Verbot durch eine andere Person:		Er soll das nicht tun.
Unfähigkeit / keine Gelegenheit:		Er kann das nicht tun.
Fähigkeit / Gelegenheit:	Er kann das tun.	
Erlaubnis:	Er darf das tun.	
Rat:	Er sollte das tun. *(Konjunktiv II!)*	
Kein Befehl:		Er muß das nicht tun. / Er braucht das nicht zu tun.
Vermutungen: unsicher:	Er könnte das getan haben.	
ziemlich sicher:	Er dürfte das getan haben.	
sehr sicher:	Er muß das getan haben.	
Eine andere Person hat es gesagt:	Er soll das getan haben.	

§ 27 „sein zu …“ / „haben zu …“ + Infinitiv

a) „sein zu …“

Bedeutung „man kann“

Auf dem Bild ist ein Junge zu sehen.	= Auf dem Bild kann man einen Jungen sehen.
In der Statistik ist nicht alles zu lesen.	= In der Statistik kann man nicht alles lesen.

Bedeutung „man muß“

Die Tür ist nachts zu schließen.	= Die Tür muß man nachts schließen.
Das Gerät ist immer auszuschalten.	= Das Gerät muß man immer ausschalten.

Vergleich:

Diese Lektion ist leicht zu lernen.	= Diese Lektion kann man leicht lernen.
Diese Lektion ist unbedingt zu lernen.	= Diese Lektion muß man unbedingt lernen.

b) „haben zu …“

Der Supermarkt zeigt, was er zu bieten hat.	= Der Supermarkt zeigt, was er bieten kann.
Was hast du mir zu sagen?	= Was willst / mußt du mir sagen?
Das hast du nicht zu bestimmen!	= Das kannst / darfst du nicht bestimmen!
Diese Lektion hast du zu lernen!	= Diese Lektion mußt du lernen!

§ 28 Positionsverben

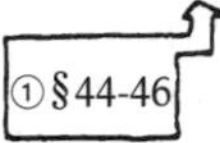

a) Bedeutung im Satz

		Wo?	
Das Buch	hat	auf dem Tisch	gelegen.
Ich	habe	auf dem Stuhl	gesessen.
Ich	habe	vor dem Haus	gestanden.
Das Bild	hat	an der Wand	gehangen.
Der Schlüssel	hat	in der Tür	gesteckt.
		Wohin?	
Ich	bin	nach Linz	gefahren.

		Wen? / Was?	*Wohin?*	
Ich	habe	das Buch	auf den Tisch	gelegt.
Ich	habe	mich	auf den Stuhl	gesetzt.
Ich	habe	mich	vor das Haus	gestellt.
Ich	habe	das Bild	an die Wand	gehängt.
Ich	habe	den Schlüssel	in die Tür	gesteckt.
Peter	hat	mich	nach Linz	gefahren.

b) Formen

Wo?	liegen	lag hat gelegen
	sitzen	saß hat gesessen
	stehen	stand hat gestanden
	hängen	hing hat gehangen
	stecken	steckte hat gesteckt
Wohin?	fahren	fuhr ist gefahren

Wen? Was?	Wohin?	legen	legte hat gelegt
		setzen	setzte hat gesetzt
		stellen	stellte hat gestellt
		hängen	hängte hat gehängt
		stecken	steckte hat gesteckt
	⚠	fahren	fuhr hat gefahren

§ 29 Verben mit untrennbarem Verbzusatz „be-“, „emp-“, „ent-“, „er-“, „ge-“, „ver-“, „zer-“

① § 30

Infinitiv	*3. Pers. Sing. Präsens*	*Perfekt*
beschäftigen	er beschäftigt	er hat beschäftigt
empfangen	er empfängt	er hat empfangen
entwickeln	er entwickelt	er hat entwickelt
erfinden	er erfindet	cr hat erfunden
gebrauchen	er gebraucht	er hat gebraucht
verändern	er verändert	er hat verändert
zerstören	er zerstört	er hat zerstört

Betonung auf Verbstamm → *Partizip II ohne* ge

Weitere Verben:

be-	beachten, bedanken, bedeuten, begegnen, behalten, bekommen, ...
emp-	empfehlen, empfinden
ent-	enthalten, entlassen, entscheiden, entschuldigen, entsprechen, entstehen
er-	erfahren, erfüllen, erhalten, erinnern, erklären, erkundigen, erlauben, erledigen, ...
ge-	gefallen, gehören, gelingen, genießen, genügen, geschehen, gewinnen, gewöhnen, ...
ver-	verbessern, verbinden, verbringen, verdienen, vergessen, ...
zer-	zerbrechen, zerdrücken, zerreißen

§ 30 Verben mit untrennbarem Verbzusatz „durch-“, „über-“, „unter-“, „wieder-“

Infinitiv	*3. Pers. Sing. Präsens*	*Perfekt*
durchqueren	er durchquert	er hat durchquert
überlegen	er überlegt	er hat überlegt
unterhalten	er unterhält	er hat unterhalten
wiederholen	er wiederholt	er hat wiederholt

⇧ *Betonung auf Verbstamm* → *Partizip II ohne* ge

Weitere Verben:

überholen, übernachten, übernehmen, überqueren, überraschen, übersetzen, überweisen, überzeugen, unterbrechen, unterrichten, unterscheiden, unterstützen, untersuchen, …

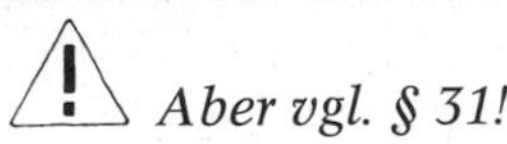
Aber vgl. § 31!

① § 27, § 30

§ 31 Verben mit trennbarem Verbzusatz

	Infinitiv	*3. Pers. Sing. Präsens*	*Perfekt*
ab-	ablehnen	er lehnt …ab	er hat abgelehnt
an-	anfangen	er fängt …an	er hat angefangen
auf-	aufhören	er hört …auf	er hat aufgehört
aus-	ausmachen	er macht …aus	er hat ausgemacht
bei-	beibringen	er bringt …bei	er hat beigebracht
durch-	durchführen	er führt …durch	er hat durchgeführt
ein-	einkaufen	er kauft …ein	er hat eingekauft
fest-	feststellen	er stellt …fest	er hat festgestellt
fort-	fortsetzen	er setzt …fort	er hat fortgesetzt
frei-	freilassen	er läßt …frei	er hat freigelassen
her-	herstellen	er stellt …her	er hat hergestellt
heraus-	herausfinden	er findet …heraus	er hat herausgefunden
herein-	hereinkommen	er kommt …herein	er ist hereingekommen
hin-	hinfallen	er fällt …hin	er ist hingefallen
hinaus-	hinausgehen	er geht …hinaus	er ist hinausgegangen
hinein-	hineingehen	er geht …hinein	er ist hineingegangen
mit-	mitkommen	er kommt …mit	er ist mitgekommen
nach-	nachdenken	er denkt …nach	er hat nachgedacht
teil-	teilnehmen	er nimmt …teil	er hat teilgenommen
übrig-	übrigbleiben	er bleibt …übrig	er ist übriggeblieben
um-	umziehen	er zieht …um	er ist umgezogen
vor-	vorschlagen	er schlägt …vor	er hat vorgeschlagen

Betonung auf Verbzusatz → *Partizip II mit* ge

	Infinitiv	*3. Pers. Sing. Präsens*	*Perfekt*
voraus-	voraussagen	er sagt ... voraus	er hat vorausgesagt
vorbei-	vorbeifahren	er fährt ... vorbei	er ist vorbeigefahren
weg-	weglaufen	er läuft ... weg	er ist weggelaufen
weiter-	weiterarbeiten	er arbeitet ... weiter	er hat weitergearbeitet
wieder-	wiederkommen	er kommt ... wieder	er ist wiedergekommen
zu-	zumachen	er macht ... zu	er hat zugemacht
zurück-	zurückgeben	er gibt ... zurück	er hat zurückgegeben
zusammen-	zusammenfassen	er faßt ... zusammen	er hat zusammengefaßt

⇧ *Betonung auf Verbzusatz* ⇧ → *Partizip II mit* ge ⇧

⚠ *Verbzusätze, die bei manchen Verben trennbar, bei anderen untrennbar sind:*

durch-	durchführen	er führt ... durch	er hat durchgeführt
	durchqueren	sie durchquert	sie hat durchquert
um-	umziehen	sie zieht ... um	sie ist umgezogen
	umfassen	es umfaßt	es hat umfaßt
wieder-	wiedergeben	er gibt ... wieder	er hat wiedergegeben
	wiederholen	er wiederholt	er hat wiederholt

Betonung auf Verbzusatz → *trennbar* → *Partizip II mit* ge
Betonung auf Verbstamm → *untrennbar* → *Partizip II ohne* ge

§ 32 Verben mit zwei Verbzusätzen

auf be-	auf be wahren	er bewahrt ... auf	er hat aufbewahrt
vor be-	vor be reiten	er bereitet ... vor	er hat vorbereitet
wieder ent-	wieder ent decken	er entdeckt ... wieder	er hat wiederentdeckt
wieder er-	wieder er kennen	er erkennt ... wieder	er hat wiedererkannt
be ab-	be ab sichtigen	er beabsichtigt	er hat beabsichtigt
be an-	be an tragen	er beantragt	er hat beantragt
be vor-	be vor zugen	er bevorzugt	er hat bevorzugt
ver ab-	ver ab reden	er verabredet sich	er hat sich verabredet
	ver ab schieden	er verabschiedet sich	er hat sich verabschiedet
ver an-	ver an stalten	er veranstaltet	er hat veranstaltet

Verb mit trennbarem + untrennbarem Verbzusatz → *Partizip II ohne* ge
Verb mit untrennbarem + trennbarem Verbzusatz → *Partizip II ohne* ge

Satzstrukturen

§ 33 Attribute

a) Vorangestellte Attribute ② § 5

Adjektive

Der kleine	Junge …
Eine ganz alte	Frau …
Das lustige	Kind …

Partizipien

Verlockendes	Fleisch …
Die von rechts kommenden	Kunden …
Enorm gestiegene	Preise …

b) Nachgestellte Attribute

Genitivattribute ① § 4

Der Einfluß	der Medien …
Die Welt	der Kinder …
Das Thema	des Deutschen Museums …

Präpositionale Attribute

Ein Mann	mit einer blauen Badehose …
Die Frau	auf dem Pferd …
Die Leute	vor der Tür …

c) Vorangestelltes Attribut + Nomen + nachgestelltes Attribut

Ein	kleiner dicker	Mann	mit einer blauen Badehose …
Die	interessante	Welt	der Kinder …

d) Attribute im Satz

Vorfeld	*Verb₁*	*Subjekt*	*Angabe*	*Ergänzung*	*Verb₂*
Die von rechts kommenden Kunden	sehen		zuerst	das Fleisch.	
Der Verkäufer	bedient		zuerst	die von rechts kommenden Kunden.	
	Hast	du	irgendwo	einen Mann mit einer blauen Badehose	gesehen?
Ein Mann mit einer blauen Badehose	will		gerade	ins eiskalte Wasser	springen.
Gestern	ist	eine ganz alte Frau	vor dem Eingang des Deutschen Museums		gestorben.

Attribute sind selbst keine Satzglieder. Sie gehören zu einem Nomen und bilden zusammen mit dem Nomen ein Satzglied.

§ 34 Besetzung des Nachfelds

- *Lange Informationen, die den Satz zu kompliziert machen würden.*
- *Informationen, die einen schon gesprochenen Satz nachträglich verbessern sollen.*

Besonders:

a) Präpositionale Attribute, die zu einer Ergänzung gehören; ③ § 33 b)

b) Vergleiche („... als ...“ oder „... wie ...“);

c) der zweite Teil von Ergänzungen mit zweigliedrigen Konjunktoren; ③ § 38

d) Alternativen („oder ...“);

e) Orts- und Richtungsangaben. ① § 16, ② § 16

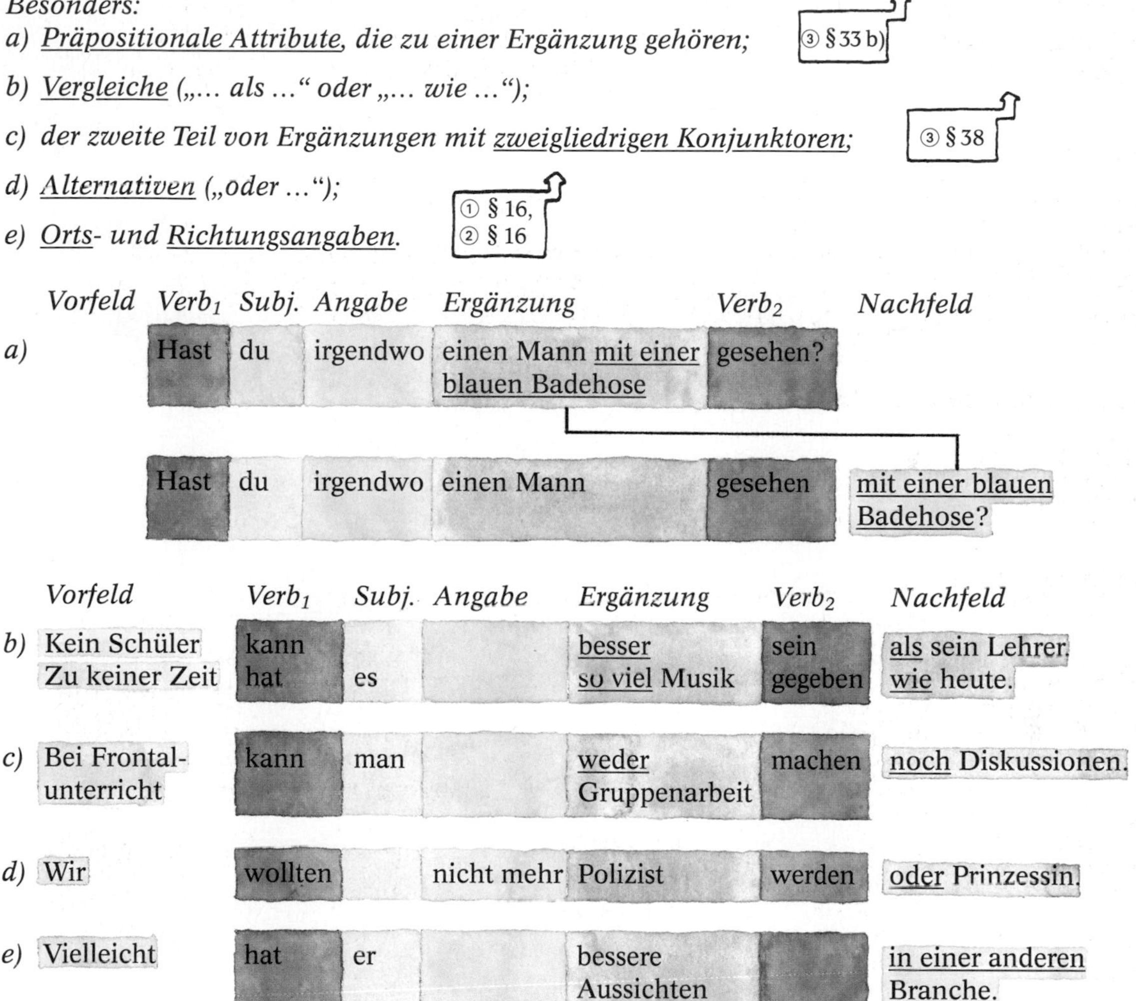

	Vorfeld	*Verb₁*	*Subj.*	*Angabe*	*Ergänzung*	*Verb₂*	*Nachfeld*
a)		Hast	du	irgendwo	einen Mann mit einer blauen Badehose	gesehen?	
		Hast	du	irgendwo	einen Mann	gesehen	mit einer blauen Badehose?

	Vorfeld	*Verb₁*	*Subj.*	*Angabe*	*Ergänzung*	*Verb₂*	*Nachfeld*
b)	Kein Schüler	kann			besser	sein	als sein Lehrer.
	Zu keiner Zeit	hat	es		so viel Musik	gegeben	wie heute.
c)	Bei Frontalunterricht	kann	man		weder Gruppenarbeit	machen	noch Diskussionen.
d)	Wir	wollten		nicht mehr	Polizist	werden	oder Prinzessin.
e)	Vielleicht	hat	er		bessere Aussichten		in einer anderen Branche.

§ 35 Hervorhebung im Vorfeld

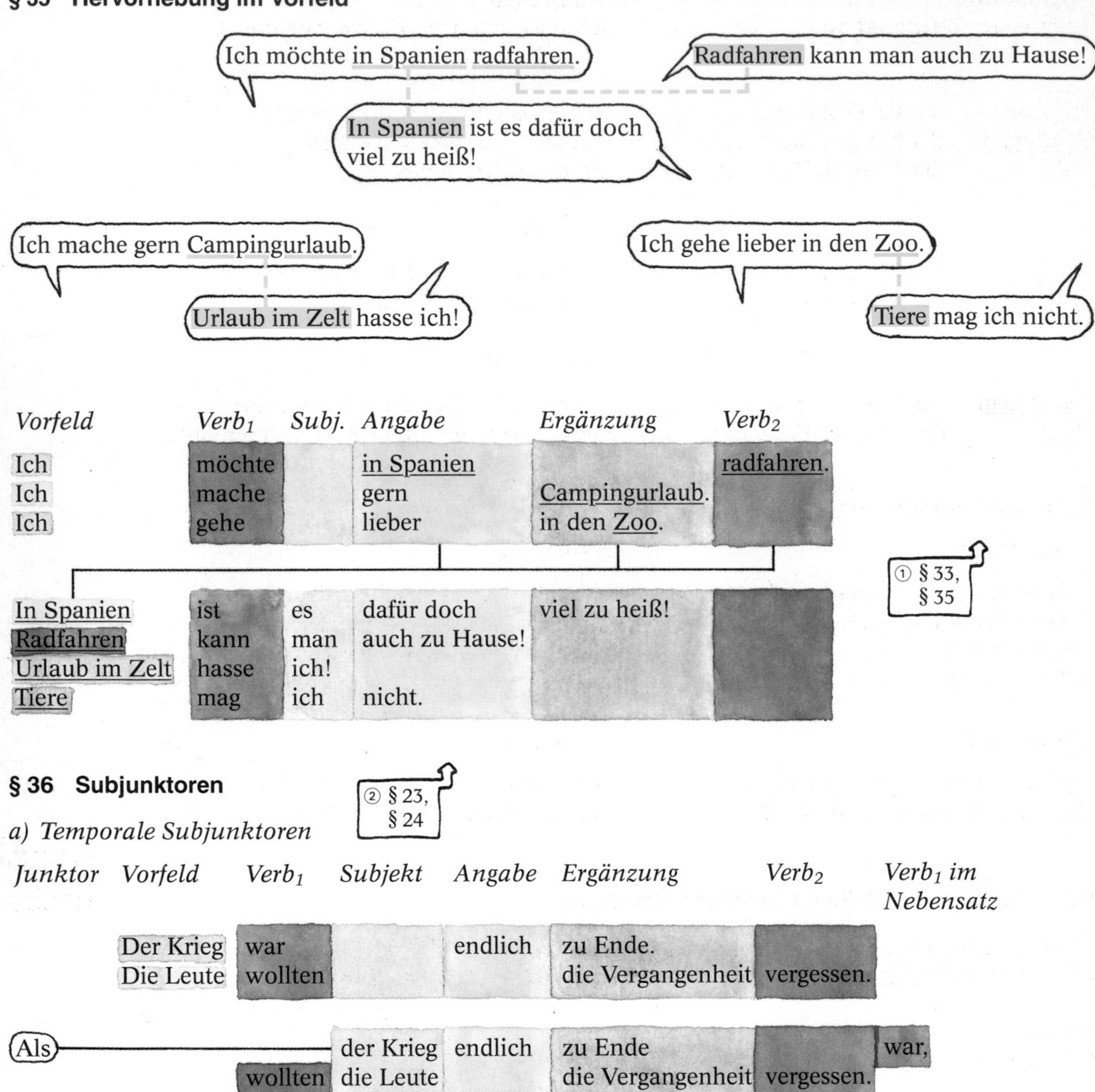
Ich möchte in Spanien radfahren.
Radfahren kann man auch zu Hause!
In Spanien ist es dafür doch viel zu heiß!
Ich mache gern Campingurlaub.
Urlaub im Zelt hasse ich!
Ich gehe lieber in den Zoo.
Tiere mag ich nicht.

Vorfeld	*Verb₁*	*Subj.*	*Angabe*	*Ergänzung*	*Verb₂*
Ich	möchte		in Spanien		radfahren.
Ich	mache		gern	Campingurlaub.	
Ich	gehe		lieber	in den Zoo.	
In Spanien	ist	es	dafür doch	viel zu heiß!	
Radfahren	kann	man	auch zu Hause!		
Urlaub im Zelt	hasse	ich!			
Tiere	mag	ich	nicht.		

① § 33, § 35

§ 36 Subjunktoren

② § 23, § 24

a) Temporale Subjunktoren

Junktor	*Vorfeld*	*Verb₁*	*Subjekt*	*Angabe*	*Ergänzung*	*Verb₂*	*Verb₁ im Nebensatz*
	Der Krieg	war		endlich	zu Ende.		
	Die Leute	wollten			die Vergangenheit	vergessen.	
Als			der Krieg	endlich	zu Ende		war,
		wollten	die Leute		die Vergangenheit	vergessen.	

Nebensatz: gibt einen Zeitpunkt an		*Hauptsatz: ist in Relation zu diesem Zeitpunkt …*
		… gleichzeitig:
Solange	der Krieg dauerte,	hofften die Menschen auf Frieden.
Während	der Krieg weiterging,	starben Millionen Menschen.
Als	der Krieg zu Ende war,	waren die Menschen froh.
		… vorher:
Bevor	der Krieg zu Ende war,	starben Millionen Menschen.
Ehe	der Krieg zu Ende war,	fielen Millionen Soldaten.
		… nachher:
Nachdem	der Krieg zu Ende war,	mußten viele Menschen hungern.
Seit	der Krieg zu Ende war,	gab es vieles nur auf dem Schwarzmarkt.

b) Weitere Subjunktoren

Hauptsatz:	*Nebensatz:*	
Man sollte so früh anfangen zu lernen,	daß	man rechtzeitig fertig ist.
Man sollte früh genug anfangen zu lernen,	da	man viel wieder vergißt.
Man sollte nicht so tun,	als ob	man schon alles wüßte.
Man lernt am besten,	indem	man früh genug anfängt.

Nebensatz:	*Hauptsatz:*	
Je früher man anfängt zu lernen,	desto	besser ist es.
Je früher man anfängt zu lernen,	um so	schneller ist man fertig.

② § 30,35
§ 44, 119

§ 37 Infinitivsatz mit Referenzwort im Hauptsatz

Er rät von dem Beruf ab.	Er rät davon ab, den Beruf zu ergreifen.
Er hat Freude an dem Beruf.	Er hat Freude daran, selbst etwas herzustellen.

abraten	von	+ *Nomen*	abraten	davon,	… zu …
Freude haben	an		Freude haben	daran,	

Das Kind lernt gerade laufen.	Es ist dabei, laufen zu lernen.
	sein dabei, … zu …

§ 38 Zweigliedrige Konjunktoren

a) Übersicht

ohne Komma	*mit Komma*
sowohl … als auch …	nicht nur …, sondern auch …
entweder … oder …	zwar …, aber …
weder … noch …	einerseits …, andererseits …
teils … und teils …	teils …, teils …

b) Innerhalb eines Satzes:

ohne Komma

Man kann	sowohl	Gruppenarbeit	als auch	Diskussionen machen.
	entweder		oder	
	weder		noch	
	teils		und teils	

mit Komma

Man kann	nicht nur	Gruppenarbeit,	sondern auch	Diskussionen machen.
	zwar	,	aber keine	
	einerseits	,	andererseits auch	
	teils	,	teils	

c) Zwischen zwei Hauptsätzen

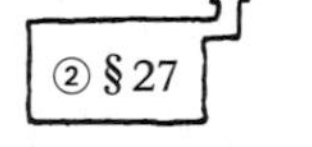

Vorfeld	*Verb₁*	*Subj.*	*Verb₂*	*Junktor*	*Vorfeld*	*Verb₁*	*Subj.*	*Angabe*	*Verb₂*
Einerseits	will	ich	wiederholen,		andererseits	will	ich		weiterlernen.
Teils	will	ich	wiederholen,		teils	will	ich		weiterlernen.
Weder	will	ich	wiederholen,		noch	will	ich		weiterlernen.
Entweder	will	ich	wiederholen,	oder	ich	will			weiterlernen.
Zwar	will	ich	wiederholen,	aber	ich	will		auch	weiterlernen.

Verben und Ergänzungen

§ 39 Verben mit Dativergänzung

① § 42

Wem?	antworten auffallen befehlen	Warum antwortest du mir nicht? Was fällt Ihnen hier auf? Du kannst mir nichts befehlen!

Weitere Verben mit Dativergänzung:

begegnen	gehorchen	nützen
danken	gehören	passen
dienen	gelingen	raten
einfallen	genügen	schaden
entsprechen	glauben	schmecken
fehlen	gratulieren	vertrauen
folgen	helfen	widersprechen
gefallen	leid tun	zuhören

§ 40 Verben mit Präpositionalergänzung (Präposition + Dativ)

② § 35

Woran?	teilnehmen	Er nimmt an einem Deutschkurs teil.
Woraus?	bestehen	Die Prüfung besteht aus drei Teilen.
Mit wem? Womit?	handeln reden sprechen	Herr Meier handelt mit Computerteilen. Mit ihm kann man nicht reden. Sprichst du mal mit dem Chef?

Weitere Verben mit Präpositional-ergänzung „mit" + *Dativ*:

telefonieren	sich beschäftigen
zu tun haben	sich verabreden

Verb mit Akkusativergänzung und Präpositionalergänzung „mit" + *Dativ*:

vergleichen

Nach wem? Wonach?	fragen suchen sich erkundigen	Herr Meier hat nach Ihnen gefragt. Wir suchen nach einer Lösung. Frau Meier hat sich nach dir erkundigt.
Worunter?	verstehen	Was versteht man unter einer Freizeitanlage?

Von wem? Wovon?	erwarten halten handeln	Was erwartet Hanna von dem Brief? Was halten Sie von diesem Buch? Das Buch handelt von einem Mann, der …

Verb mit Akkusativergänzung und Präpositionalergänzung „von" + Dativ: überzeugen

Vor wem? Wovor?	Angst haben warnen sich fürchten	Ich habe keine Angst vor dem Chef. Man sollte die Leute vor solchen Tests warnen. Marlies hat sich immer vor dem Lehrer gefürchtet.

Zu wem? Wozu?	dienen gehören kommen	Wozu dient diese Maschine? Ein Braten gehört zum Weihnachtsfest. Wie ist es zu dieser Demonstration gekommen?

Weiteres Verb mit Präpositionalergänzung „zu" + Dativ: passen

Verben mit Akkusativergänzung und Präpositionalergänzung „zu" + Dativ: einladen, gebrauchen

Verb mit Dativergänzung und Präpositionalergänzung „zu" + Dativ: gratulieren

§ 41 Verben mit Präpositionalergänzung (Präposition + Akkusativ)

② § 34

Auf wen? Worauf?	achten ankommen antworten	Achten Sie auf die richtige Polarität! Es kommt immer auf die Persönlichkeit an. Ich habe nicht auf seine Frage geantwortet.

An wen? Woran?	denken sich erinnern sich gewöhnen	Ich denke immer an dich. Frau Meier erinnert sich an den Krieg. Ich kann mich nicht an die neue Arbeit gewöhnen.

Weitere Verben mit Präpositionalergänzung „auf" + Akkusativ:

eingehen	kommen	verzichten
hinweisen	schauen	aufmerksam machen
hoffen	warten	sich verlassen
hören	zutreffen	sich vorbereiten

Verb mit Akkusativergänzung und Präpositionalergänzung „auf" + Akkusativ: einstellen

Für wen? **Wofür?**	sorgen sich anmelden sich bedanken	Die Frauen mußten allein für die Kinder sorgen. Er hat sich für die Prüfung angemeldet. Ich bedanke mich für die Einladung.

Weitere Verben mit Präpositionalergänzung „für" + Akkusativ:

sich entscheiden
sich entschuldigen

Verb mit Akkusativergänzung und Präpositionalergänzung „für" + Akkusativ:

halten

Wogegen?	tun	Was kann man gegen die Prüfungsangst tun?

Verb mit Akkusativergänzung und Präpositionalergänzung „gegen" + Akkusativ:

tauschen

Über wen? **Worüber?**	Auskunft geben berichten diskutieren	Geben Sie keine Auskunft über private Dinge! Berichten Sie über Ihre Hobbys! Wir diskutieren über das Problem.

Weitere Verben mit Präpositionalergänzung „über" + Akkusativ:

klagen sagen sich beschweren
nachdenken sprechen sich freuen
reden

Verben mit Akkusativergänzung und Präpositionalergänzung „über" + Akkusativ:

denken erfahren erzählen

Um wen? **Worum?**	gehen sich bewerben sich handeln	Es geht um die Menschen. Sie hat sich um eine Stelle bei der Bank beworben. Es handelt sich hier um eine „Obstmaschine".

Weiteres Verb mit Präpositionalergänzung „um" + Akkusativ:

sich kümmern

Verb mit Akkusativergänzung und Präpositionalergänzung „um" + Akkusativ:

bitten

Alphabetische Wortliste

* = unregelmäßiges Verb mit Präfix, dessen Formen beim entsprechenden präfix*losen* Verb in dieser Liste (oder in *Themen neu 1* oder *Themen neu 2)* angegeben sind.

ab·bauen etw_A 38
ab·biegen *Dir / Sit* bog ab, ist abgebogen 20, 24
e Abbildung, -en 15, 96
ab·brechen etw_A bricht ab, brach ab, ist abgebrochen 94
ab·decken etw_A 90, 96
ab·fließen *(Dir)* 84
e Abgabe, -n 110
ab·gehen 78
ab·halten* *(Kurs)* 52
e Abiturientin, -nen 120
ab·klopfen etw_A 100
ab·laden* etw_A 89
ab·legen etw_A 85, 116, 123
ab·lehnen etw_A 53, 71
ab·lenken (jmd_A) *auf* etw_A 88
ab·machen etw_A 83
ab·nehmen* jmd_D etw_A 27, 96, 124
ab·raten* jmd_D *von* etw_A 35
ab·sagen etw_A 75
ab·schaffen etw_A 120
ab·schalten etw_A 87
r Abschied 125
ab·schleppen etw_A 20, 50
ab·schließen* etw_A 12, 15, 20, 26, 40
ab·schneiden* etw_A 122
r Abschnitt, -e 24
ab·schöpfen etw_A 84
ab·schreiben* etw_A *(von / bei* jmd_D*)* 45, 47
r Absender, - 72
e Absicht, -en 75, 109, 123
absichtlich 102
absolut 34, 111, 125
r Absolvent, -en 50
ab·spülen etw_A 97
ab·steigen *von* etw_A 62
ab·stellen etw_A 89
ab·stumpfen 106
s Abteil, -e 52
ab·trocknen etw_A 84
ab·urteilen jmd_A 15
abwärts 22, 29
r Abwasch 100
abweisend 16
ab·werfen* jmd_A / etw_A 62, 64
ab·wickeln etw_A 52
ab·ziehen* etw_A *von* etw_A 97
e Achse, -n 117
achten *auf* jmd_A / etw_A 86, 93, 96, 102, 117
a.D. = außer Dienst 82
ADAC = Allg. Deutscher Automobil-Club 50
e Ader, -n 49
s Adrenalin 56
adressieren etw_A 75
r Advent 80
s After-shave 57
AG = e Aktiengesellschaft, -en 38
e Aggression, -en 120
e Aggressivität 121
ahnen etw_A 51, 58, 78
e Airline, -s 38
e Aktentasche, -n 66
aktivieren jmd_A / etw_A 97
albern 118
s Album, Alben 28
aller- 65
allerlei 81
allgegenwärtig 17
e Allgemeinbildung 48, 49
alljährlich 48
r Alltag 87
r Altbau, -ten 7, 9
altmodisch 16
s Aluminium 100
r Amateur, -e 98
r Analphabet, -en 48
e Analyse, -n 40, 41
anbei 72
an·bringen* etw_A *(Sit)* 124
andererseits 15, 64
anderweitig 66
anerkennen* jmd_A / etw_A 50, 52
an·fangen* etw_A *wie?* 63, 111, 113, 124
an·fassen jmd_A / etw_A 47
an·fertigen etw_A 37, 106
an·fordern etw_A 72, 124
e Anfrage, -en 50, 72, 122
angeblich 48, 64
an·gehen jmd_A *etwas / nichts* 121
angeln 9, 89
angenehm 29, 62, 69
angetan mit 80
angewiesen auf 60
r Angsthase, -n 119
ängstlich 121
e Angstlust 25
r Anhalter, - 34, 87
an·heben* etw_A 100
e Animation, -en 58
an·klagen jmd_A 70
an·kleben etw_A 89
an·kommen 20, 34, 73, 93, 121, 125
e Ankunft 106
e Anlage, -n 15, 25, 40, 50, 72
r Anlaß, Anlässe 15, 75, 83, 123
an·lassen* etw_A 76
an·legen *Geld* 9, 26, 53
e Anleitung, -en 37, 96, 121
an·liefern etw_A 37
an·locken jmd_A 58
e Anonymität 17
an·ordnen etw_A 42, 58, 70
e Anprobe, -n 37
e Anrede, -n 72, 73
an·reden jmd_A 125
an·regen jmd_A *zu* etw_D 88
an·richten etw_A 84
an·rühren etw_A 84, 124
e Ansage, -n 100
an·schirren etw_A 30
anschließend 96, 119
r Anschluß, Anschlüsse 117
ansehnlich 100
e Ansicht, -en 107
an·sprechen* jmd_A 68, 69, 76
e Anstalt, -en 40
anständig 120, 121
an·stoßen *auf* jmd_A / etw_A stößt an, stieß an, hat angestoßen 68, 71
an·strengen $sich_A$ 29, 47, 121
e Antiquität, -en 110
an·treten 125
e Antriebswelle, -n 97
r Anwärter, - 120
an·wenden etw_A wandte an, hat angewandt 47, 120
an·zeigen jmd_A *(Sit)* 49, 82, 97
an·ziehen* jmd_A 109
an·zünden etw_A 80
e Apfelsine, -n 95
appetitlich 58
r Architekt, -en 27, 58
r Ärmel, - 37
e Art, -en 96, 97
artig 80
e Asche 106
r Aschermittwoch 81
r Assistent, -en 50
e Astronomie 49, 98
e Astrophysik 98
s Atom, -e 22, 34, 105
auf'm = auf dem 125
auf·atmen 125
auf·bewahren etw_A 87, 97
auf·blühen ist aufgeblüht 118
auf·drehen etw_A 42
aufeinander 47
e Auferstehung 81, 125
auf·führen etw_A 108
e Aufführung, -en 89, 109
auf·füllen etw_A 84
aufgrund 14, 50, 60, 95
auf·halten* $sich_A$ *Sit* 26
auf·heben* etw_A 63, 113
auf·laufen *zur Höchstform* 118
auf·leuchten 97
aufmerksam 46, 89, 118
e Aufmerksamkeit 119, 125
auf·ribbeln etw_A 106
auf·rufen* jmd_A 46
r Aufsatz, ¨e 97
auf·schieben etw_A schob auf, hat aufgeschoben 121
r Aufstand, ¨e 118
auf·stellen etw_A 20, 58
e Aufstellung, -en 59
r Aufstieg 33
r Auftrag, ¨e 26, 28, 35, 39
auf·treten *als* jmd_N *(Sit)* 112
r Auftritt, -e 119
auf·wachsen *Sit* 15, 17
r Aufwand 124
auf·wärmen etw_A 106
auf·wirbeln etw_A 117
auf·zählen etw_A 53
r Ausbau 98
aus·bilden jmd_A 46, 105, 116
r Ausbilder, - 48
e Ausbildung, -en 50
aus·bleiben 106
aus·denken* $sich_D$ etw_A 58
r Ausdruck, ¨e 15, 106
aus·drücken etw_A 69, 97
auseinander·nehmen* etw_A 97
e Ausfahrt, -en 24
aus·fallen *(Adj)* 102, 124
aus·führen etw_A 37, 66
ausführlich 72, 123
aus·füllen etw_A 52, 53, 107
ausgebucht 72
aus·kosten etw_A 87
aus·lassen* etw_A 23
aus·lasten *mit* etw_D 124
aus·leuchten etw_A 120
aus·liefern jmd_A 15
aus·lösen etw_A 38
ausnahmsweise 29
ausnehmend 30
aus·prägen $sich_A$ *in* etw_D 15
aus·probieren etw_A 41, 47, 53, 113
r Auspuff, -e 91, 94
aus·räumen etw_A 28, 87
aus·rechnen etw_A 41, 61
aus·rufen* etw_A 63
aus·schalten etw_A 96, 97
aus·schmücken etw_A 118
aus·schütten etw_A 67
außen 84, 95
außereuropäisch 34
e Äußerung, -en 46, 71, 88, 107
e Aussicht, -en 9, 35, 39, 51
aus·sortieren etw_A 37
aus·sprechen* etw_A 53, 82, 87
e Ausstatterin, -nen / r Ausstatter, - 40
e Ausstattung, -en 58
aus·stechen etw_A sticht aus, stach aus, hat ausgestochen 84